岩とからあげをまちがえる
大前粟生
JN100673

岩とからあげをまちがえる　もくじ

エビフライと願い
キャベツとみちこちゃん
虹とキラキラゴージャスキーホルダー
観覧車と月
みちこちゃんと日の出
みちこちゃんと水槽
海と光
みちこちゃんとカミナリ
ギターみたいな犬と歌
ヒジとスズメ
シーチキンとおおかみ
バターとポケット
みちこちゃんとコップ
デザートと名前
みちこちゃんと脳みそ
みちこちゃんと幽霊
布団とぽかぽか

1

岩とからあげ

岩とからあげをまちがえる。岩とからあげをまちがえたから、歯がかけちゃった。みちこちゃん、落ちてるものをたべないでね。歯医者さんはやさしいう。みちこちゃんは歯医者さんがすきだから、それからときどき、岩とからあげをまちがえる。

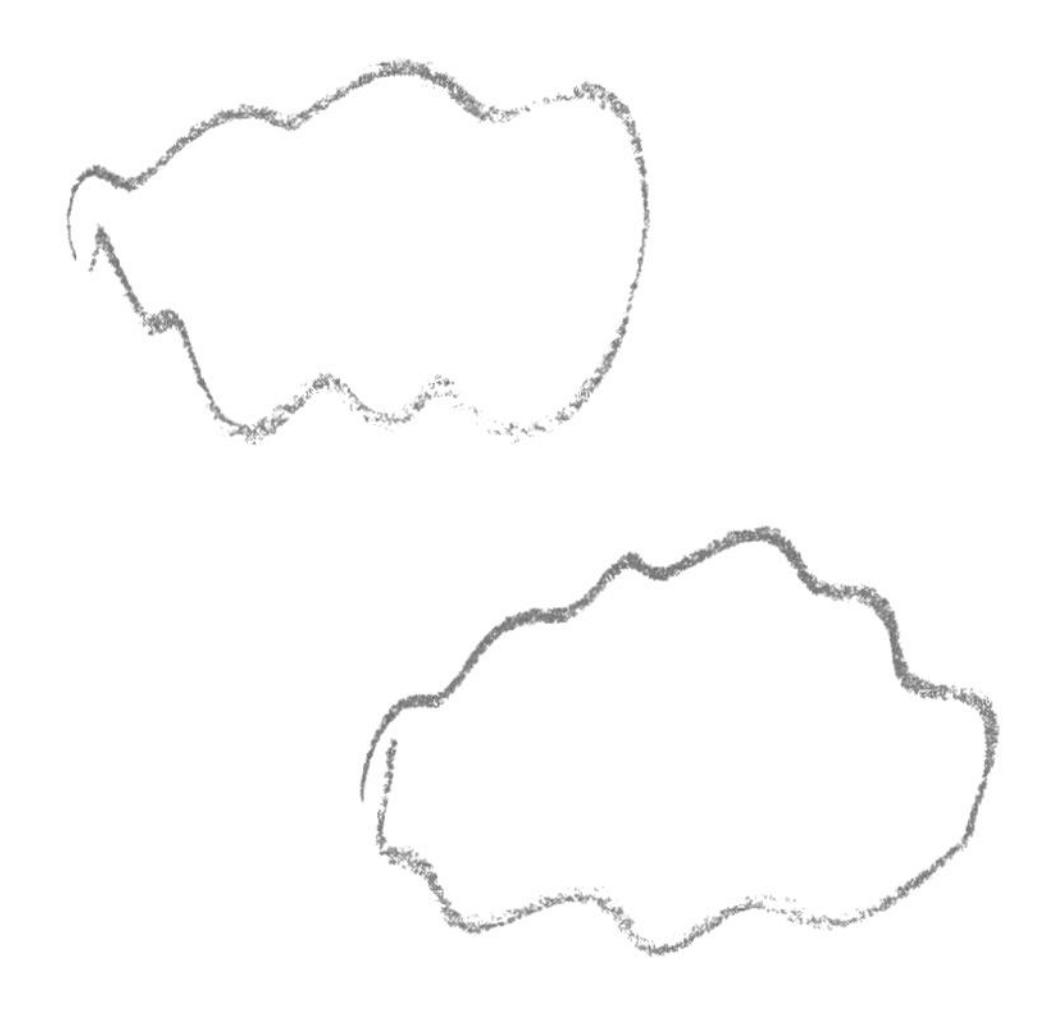

2 天津飯とつぶれたチャーハン

天津飯とつぶれたチャーハンが落ちている。天津飯はきれい。チャーハンはというと、鳥がたべてくれるからだいじょうぶ。天津飯と空を飛んだ。あのころ、鳥と天津飯とチャーハンが空を覆(おお)い、みちこちゃんもまねして落ちていた。

3

モグラとスーパー店長

モグラが出てくる。あたたかい顔だね。あそこのセブンイレブンの店長、モグラがだいきらい。鼻をかまれたことがあるんだって。みちこちゃんがこういった。「わたしはモグラに鼻をかまれたことがないから、スーパー店長」

4 夏とみちこちゃん

走ろうと思った。夏が追いかけてくるから。ブイブイブイブイ。みちこちゃんは夏より早く秋になって、秋より早く冬になった。冬を追い越して春になり、まちがえて春のことも追い越した。うわ〜〜〜と叫びながらみちこちゃんはアイスをたべて、いくらうしろに歩いてもうしろにはもどれなかった。

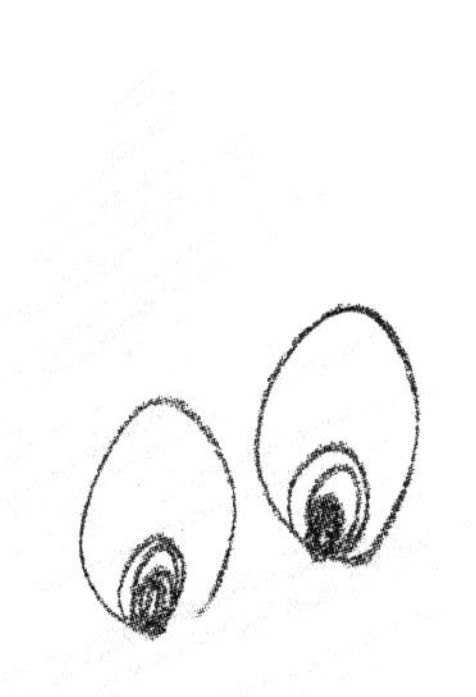

5

宇宙とハンカチ

画用紙に宇宙を書いた。「これを後頭部に貼りつける！」みちこちゃんはうれしそう。宇宙のなかで、みちこちゃんの顔ひとつ。浮かんでて、なにより自由。ハンカチが飛んできて、宇宙に貼りつく。ハンカチだって飽きるまで、なんのことでも忘れられた。

6

石と塩

石に塩をふりかけていく。こちらから順に、おいしそう。おいしそう。おいしそう。たべないけれど。うれしい？と聞いて、「うれしいよ〜」というのもみちこちゃんだった。

7

カーテンとカエル

「カーテンの奥に、カエルがいることはわかってるぞ！」という声が、カーテンの向こうからしてくるのだった。ひらひらひるがえって、風が見せてくれる青空はきれいなのに。みちこちゃんは、また声がする前に、カエルか、なにになってやろうか考えている。

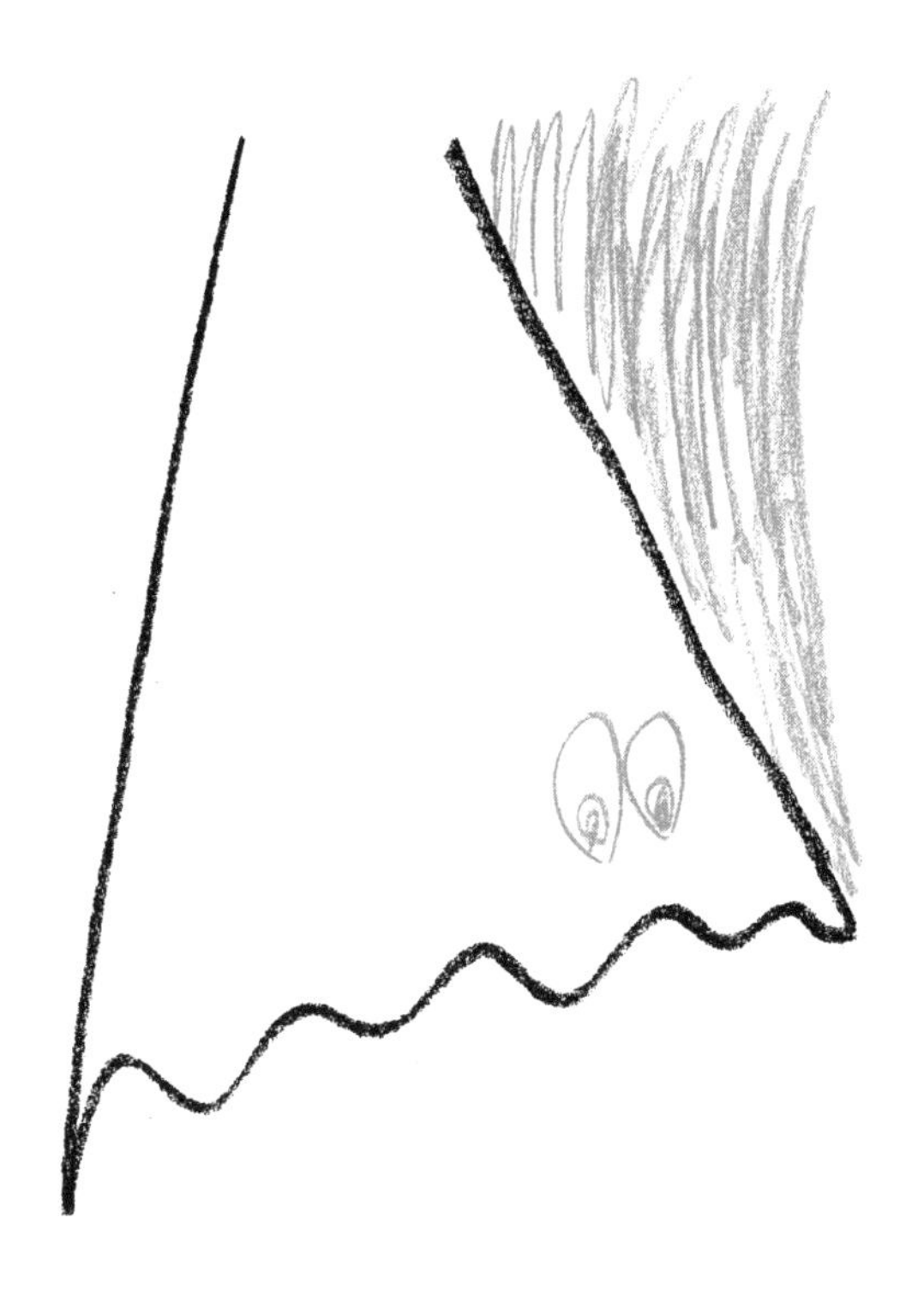

8 さようならとしるし

さようならした場所にマジックでしるしをつける。さようなら。さようなら。ピョイ。ピョイ。プードルのかたちをしたしるし。ラッコのしるし。地面がどんどん素敵になるよ。ああ早くしたいなさようなら。

9 おしゃれと時計

おしゃれだから時計をフリスビーにする。短針と長針が回って回って、草木が枯れてはまた伸びて、みちこちゃんも大きくなったり小さくなったりしてもよかった。おしゃれだから、時計が割れても泣かなかった。

10 りんごジュースと散歩

りんごジュースを飲み終わるまで散歩する。犬、鳥、薬売りのおじさんにりんごジュースをあげちゃって、もうここからは動けない。時間が経って、季節になって、「サカナクション」とみちこちゃんがくしゃみする。

11

歌とみちこちゃん

夜、闇夜、車のライト、ビームみたいになった影！あ～やいや～やい、とみちこちゃんが歌ってる。ドアに向かって。犬に向かって。元気なメロディが、みちこちゃんも元気っていうことにする。舌を伸ばすと風がある。ポゥポゥ。

12

マグロと芽ネギ

マグロは晴れが似合う。みちこちゃんは芽ネギがすき。今日1日おスシ屋さん。床にうずくまって、おスシのポーズになっている。芽ネギの緑色がすき……マグロを乗せるとひんやりしてだんだん体温になってくる……そのままねむって気持ちよかった。

13

鏡とみちこちゃん

みちこちゃんは壊れた鏡を拾いあつめて、「だいじょうぶだよ。わたしがうつっているよ」といってあげる。

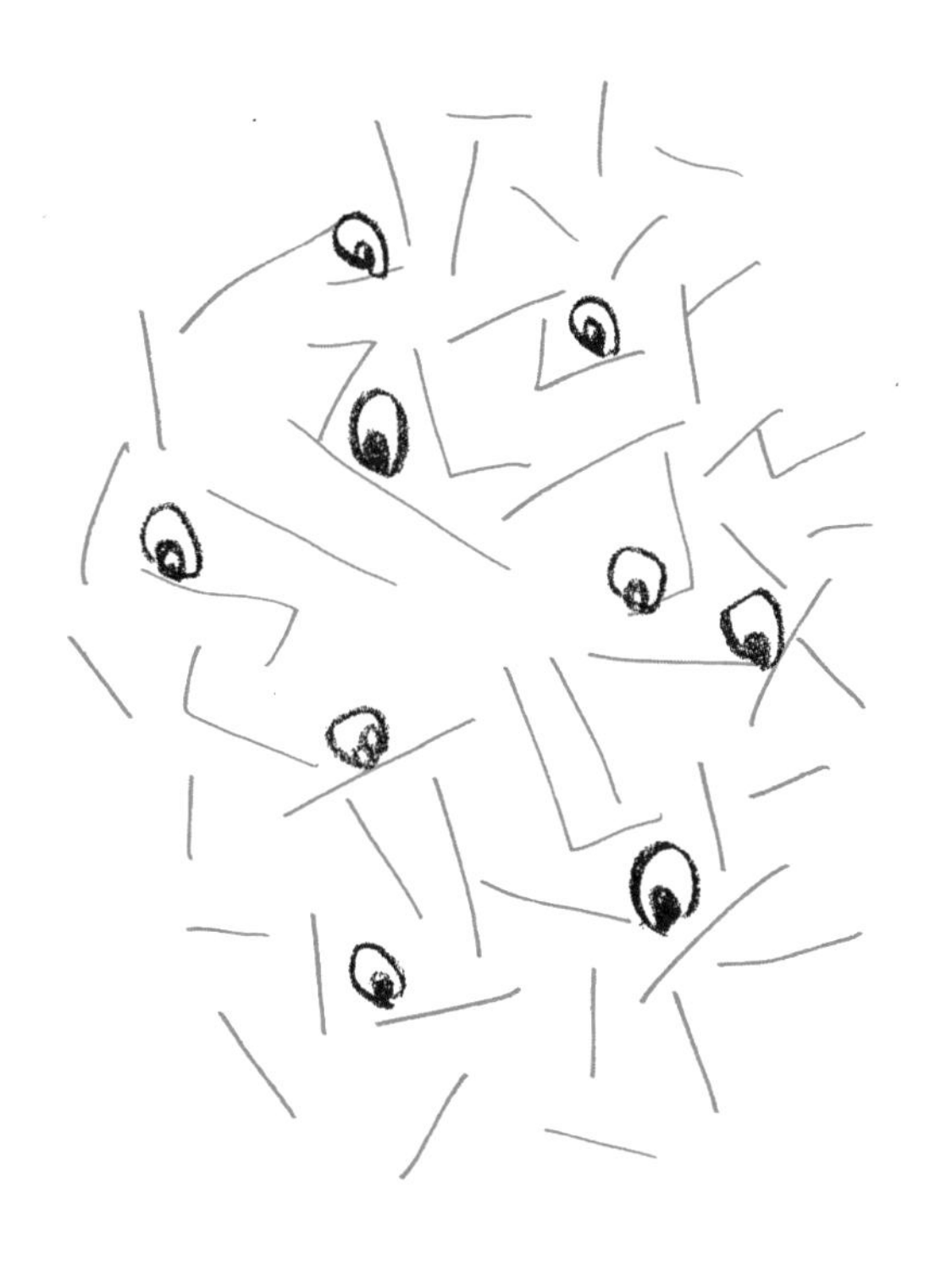

14

雨とポテトチップス

雨がつらい。すきなポテトチップスを指ですりつぶしてサラサラ落としていく。窓の外の雨とポテトチップスが一瞬かさなる。一瞬、いい気分だよ。上を向いたみちこちゃんが、口をあーんと開けてポテトチップスを待っている。

15

暗やみとみちこちゃん

暗やみにみちこちゃんがのまれる。暗やみがみちこちゃんになる。どこにいるの～と声をかけると、「ここだよ～」と、どこからでも声がする。

16

みちこちゃんとケルベロス

ベンチですやすやねむっていたら、ひざの上にケルベロスが乗ってくるんだ。地獄からやってきた、頭が3つある犬。ケルベロスはいつもねむたそう。3つの頭をいちどにはわしゃわしゃできなくてみちこちゃんは、風と太陽を自分の手にしました。

17

エビフライと願い

エビフライから声がする。「おおきくなりたい」いつか、剣道ができるくらいの大きなエビフライになりたいって、毎年この季節になると、エビフライの代わりに短冊に書いてあげた。

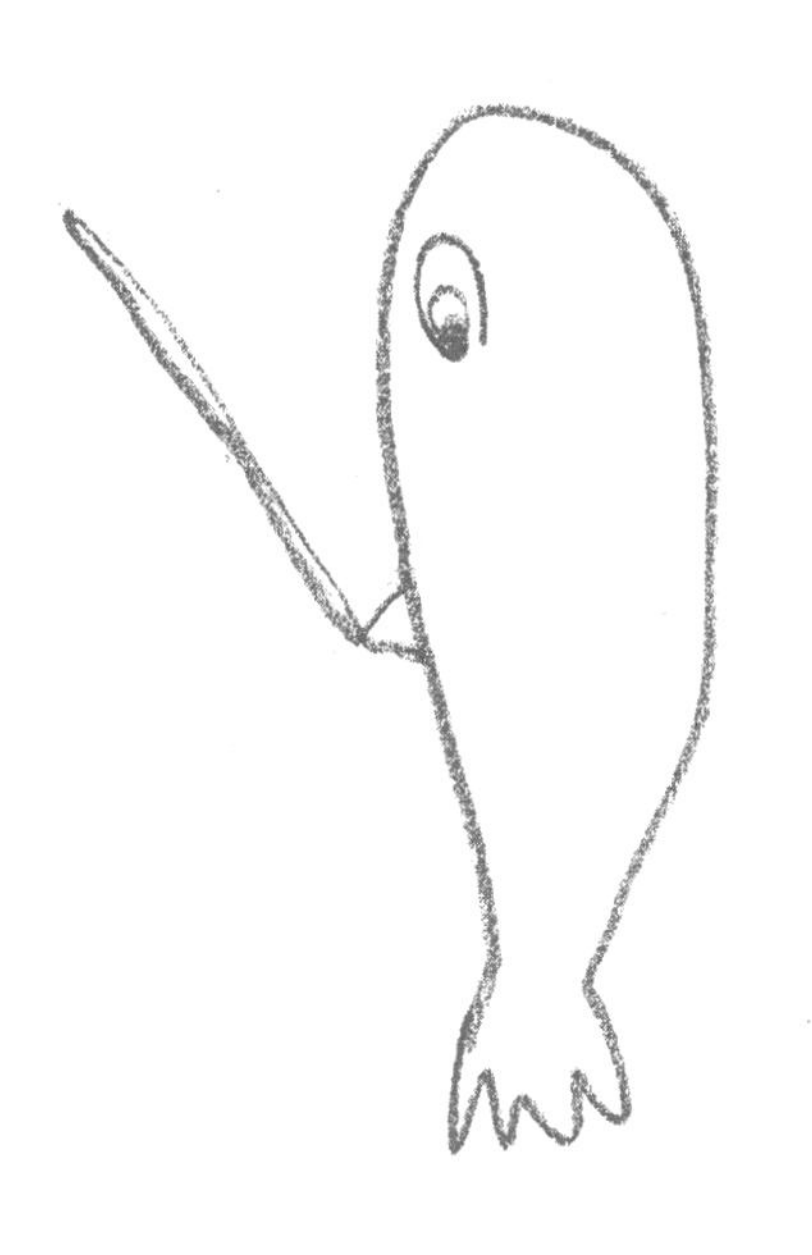

18 キャベツとみちこちゃん

ベリベリと大きなキャベツをめくって顔にかぶせる。

「キャベツ仮面だよ〜」とみちこちゃんがいう。泣いてても仮面でわからないから、キャベツ仮面は悲しそうなひとを見つけると、キャベツを貸してあげる。

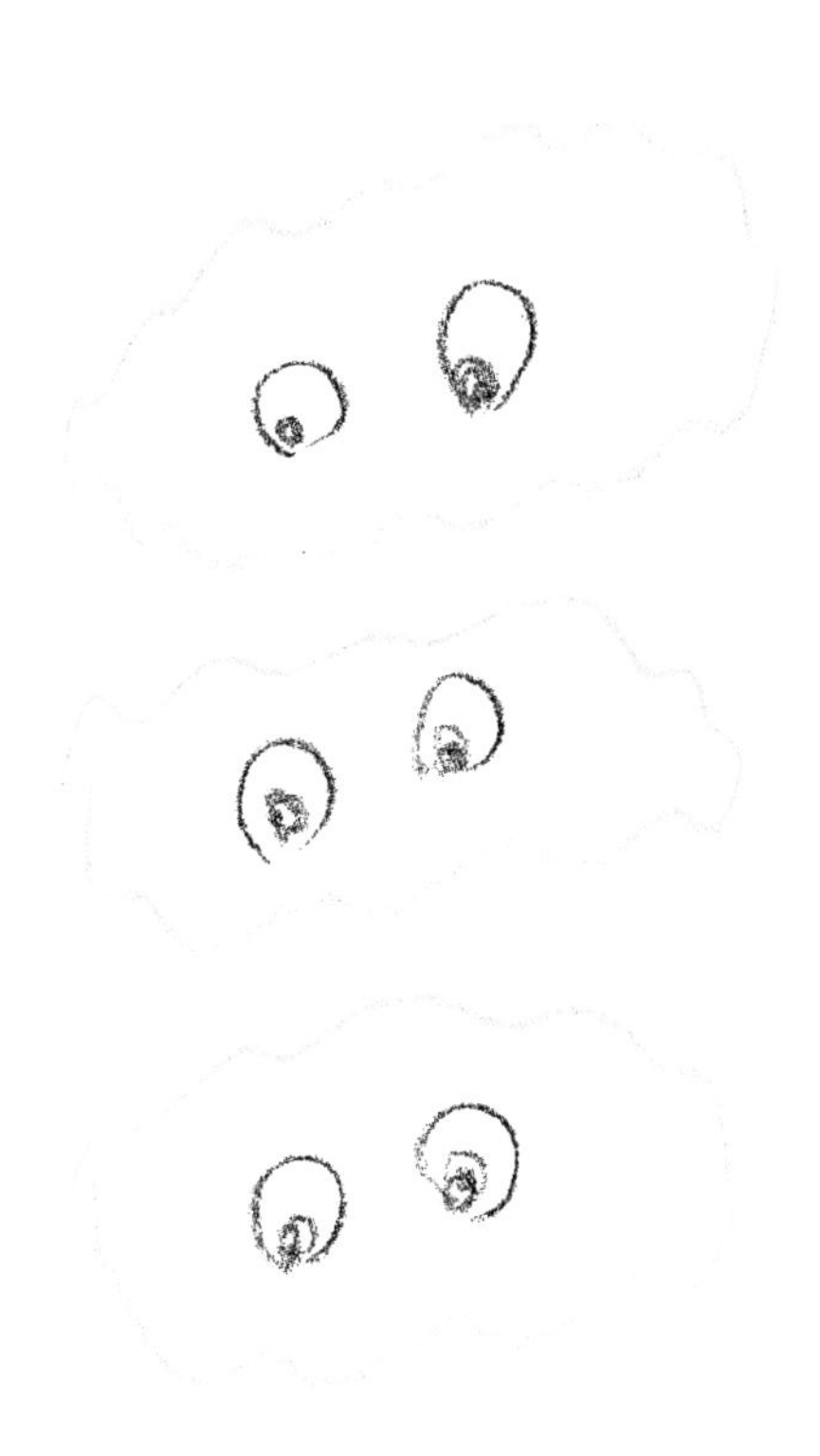

19

虹とキラキラゴージャスキーホルダー

岩の壁に虹がうつっている。一度も途切れることなく、もう何年もずっと。なにかが願われている虹を、いつか、見れないようになるかもしれないから、「存在する。存在する」といいながら、みちこちゃんはキラキラゴージャスキーホルダーにして持ち歩く。

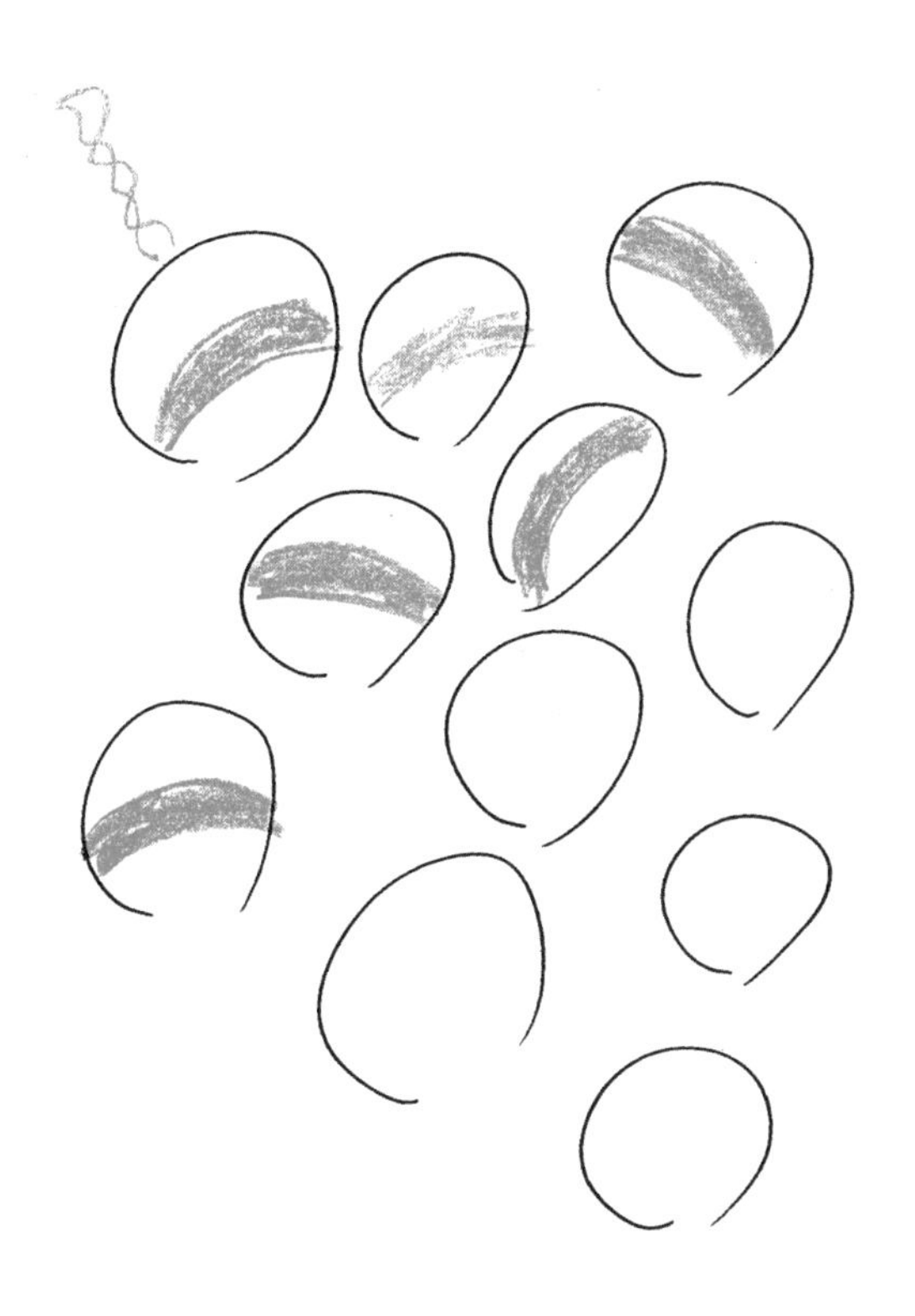

20 観覧車と月

大きな観覧車がある。ギュイギュイピッカンと光っている。町のどこにいても見える。迷子にもならない。照らしてくれてるから、あの観覧車は1000年後には月みたいになってるんだろう。「じゃあ1000年前、いまの月は観覧車だったの？」

21

みちこちゃんと日の出

海から太陽がのぼってくる。きれいだなあ。ねえケルベロスあれって、海と太陽がくっついてるんじゃなくて、海の先に空があって、宇宙があって、太陽があるんだ。上じゃなくて、みちこちゃんの目の前に空がある。

22
みちこちゃんと水槽

こちらの水槽（すいそう）をごらんください、とみちこちゃんがいう。なかには水と、さかなの幽霊が入っている。

23

海と光

海からたくさんの光がやってくる。船じゃなくて、おばけなんだっていううわさ。深みどり色の風。しおのにおい。キラキラゴージャスがみちこちゃんの口から漏(も)れてくる。

24

みちこちゃんとカミナリ

みちこちゃんは避雷針(ひらいしん)になろうとする。みちこちゃんにカミナリが落ちると悲しいから、もうカミナリは落ちない。

25

ギターみたいな犬と歌

ギターみたいな犬が歩いてくる。ジャラララン。わしゃわしゃ。ジャラララン。わんわん。腕がねむれとささやくんだ〜ジャンジャンジャンジャンジャン夜、闇夜、車のライト、ビームみたいになった影！　あ〜やいや〜やい。

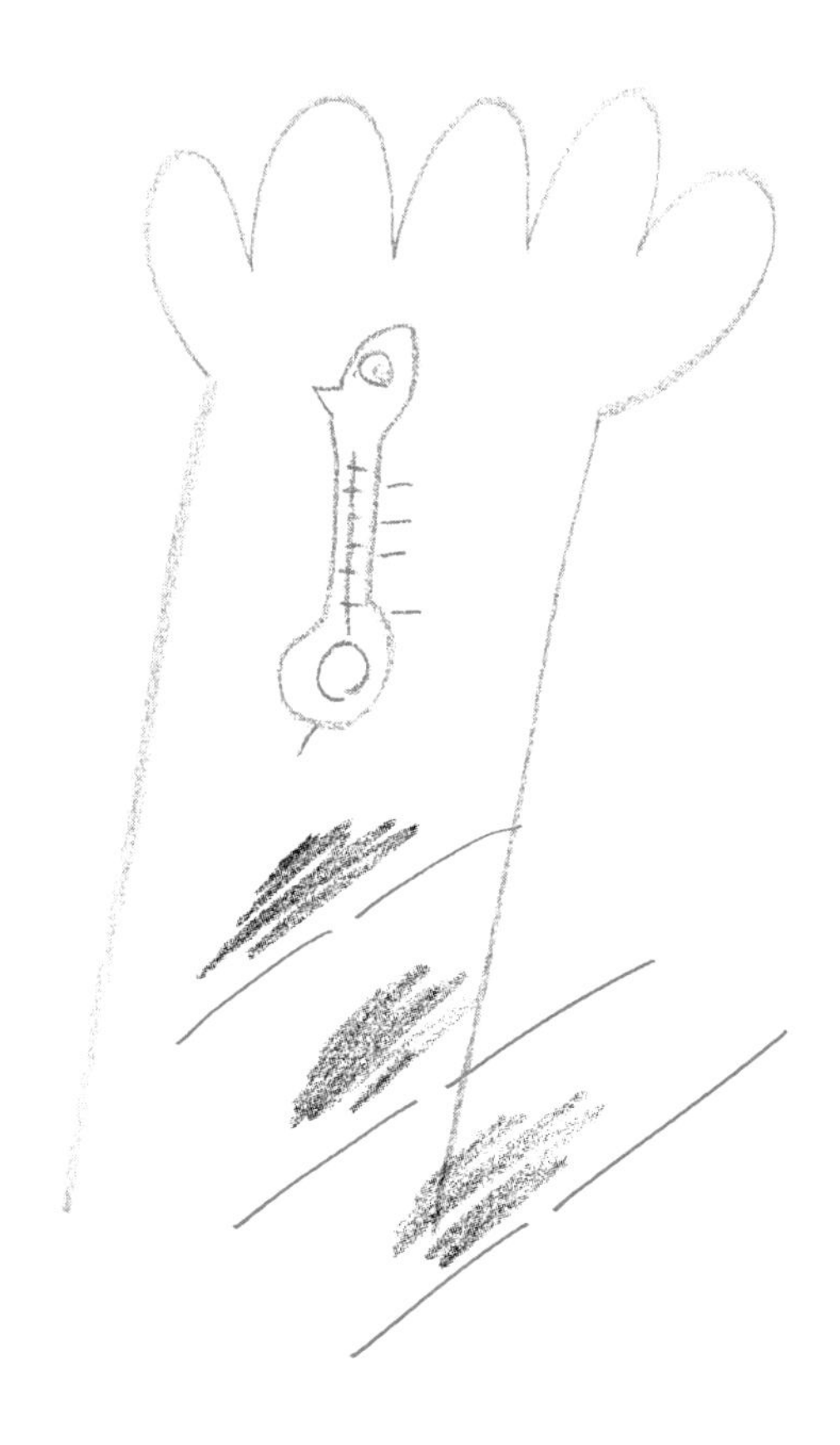

26

ヒジとスズメ

ヒジの内側がくぼんでる。スズメが休憩するのにぴったりの場所。スズメといっしょに目を閉じると、見えていたものぜんぶが休憩するんだよ。

27

シーチキンとおおかみ

シーチキンっておおかみの毛みたい。おおかみの毛っておいしい。おにぎりがうれしそう。ケルベロスの毛も似てるって、もうちょっとなかよくなったらいってみようかな。

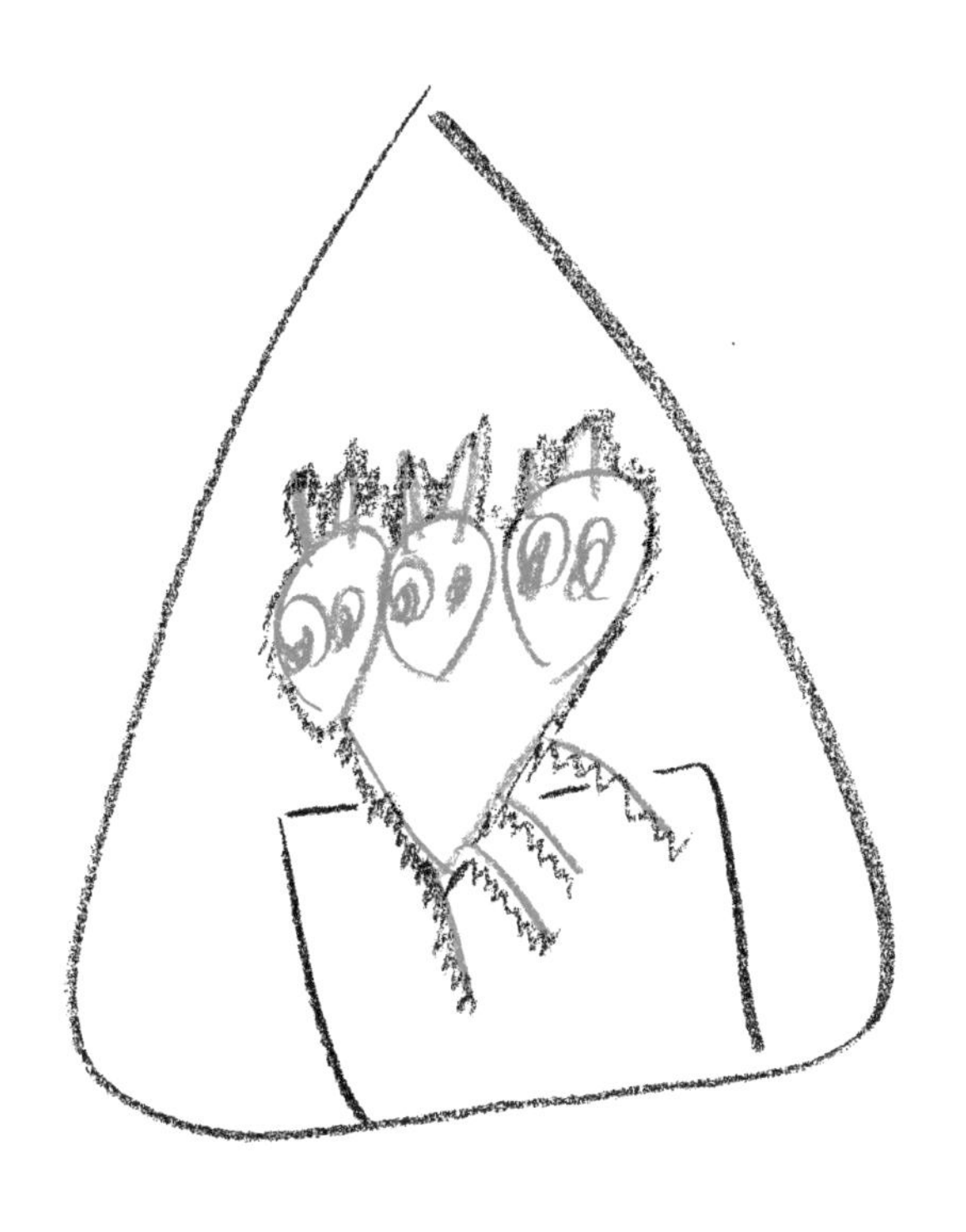

28 バターとポケット

バターにありがとう。ホットケーキをおいしくして
くれた。バターはポケットに入るくらい小さくなる。
持ち歩いてお守りになる。溶けて、なくなってもお
守りだった。ほら、見て。手のひらの上にバターの
かたち。

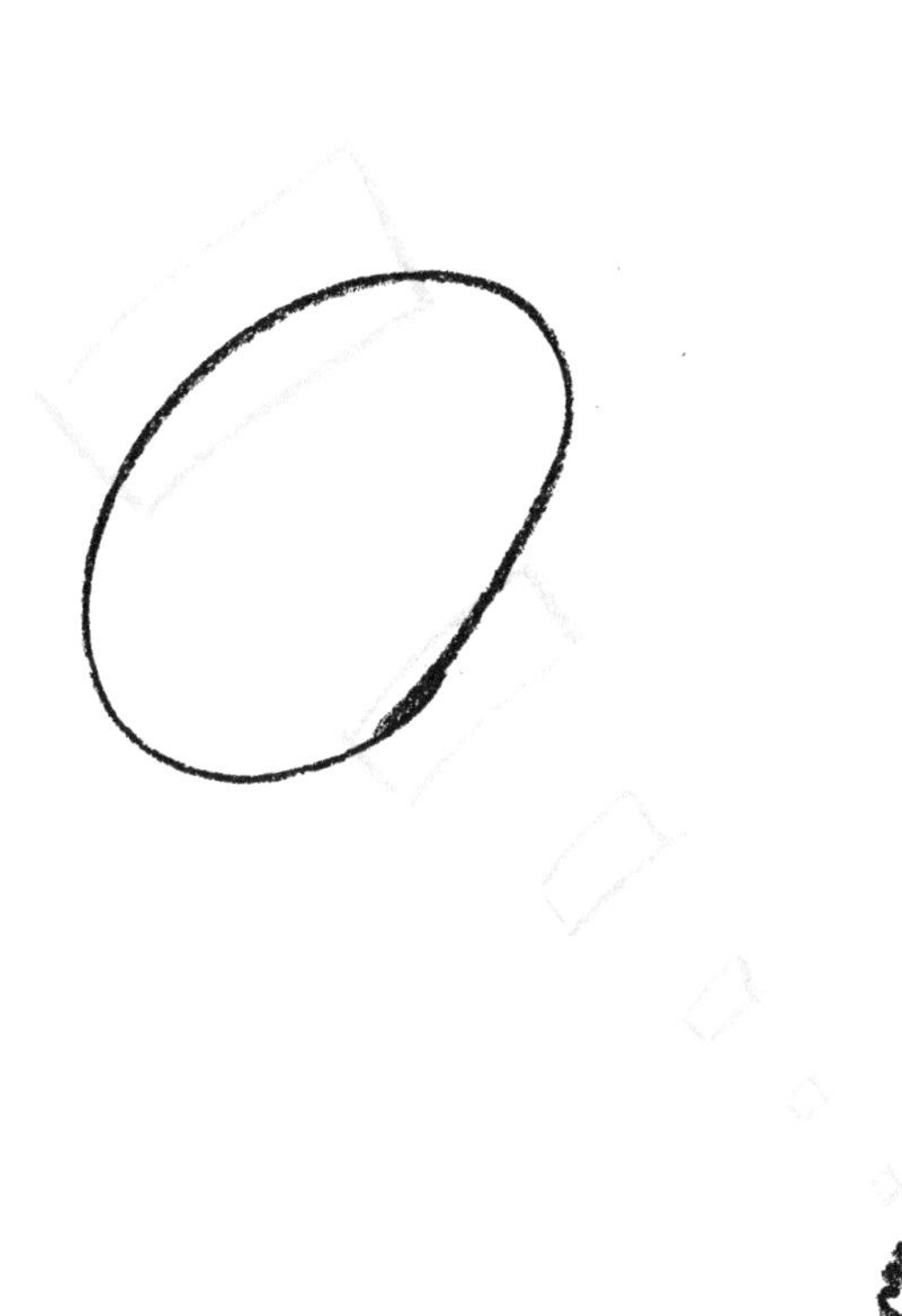

29

みちこちゃんとコップ

あーあつい。あついあつい。みちこちゃんがコップの気持ちになる。ときどき、忘れたときは、あとからなるよ。歩いてたり、走ってたり、おスシになってるときに、あーあつい。あついあつい。ジャワァァア。今日もステキな紅茶さんだねえ。

30
デザートと名前

デザートは名前を呼ばれるのを待っている。「みたらし団子、パンナコッタ、プリン・ア・ラ・モード」本当の名前を知ってる?みちこちゃんはささやくようにいって、デザートのおどりをはじめるよ〜。

31

みちこちゃんと脳みそ

ねむたいからなにもかもいや。脳みそが砂とかほこりになる。ぐるぐるころがると、砂とかほこりが頭にくっついて、なじんでいく。ブブブブブゥバッチーン！みちこちゃんが目をさます予感がするんだ。

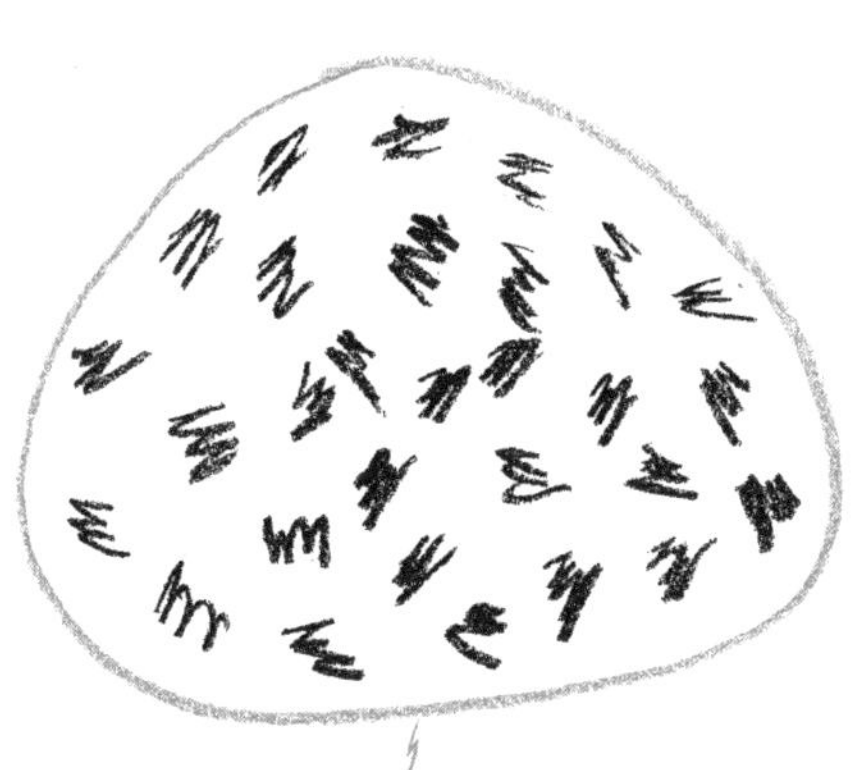

32 みちこちゃんと幽霊

幽霊のはなしを聞く。最後に「それは、お・ま・え・だーっ！」といわれてみちこちゃんはびっくりする。しばらくのあいだ、ぜんぶのものに、「わ・た・し・だーっ！」と思う。

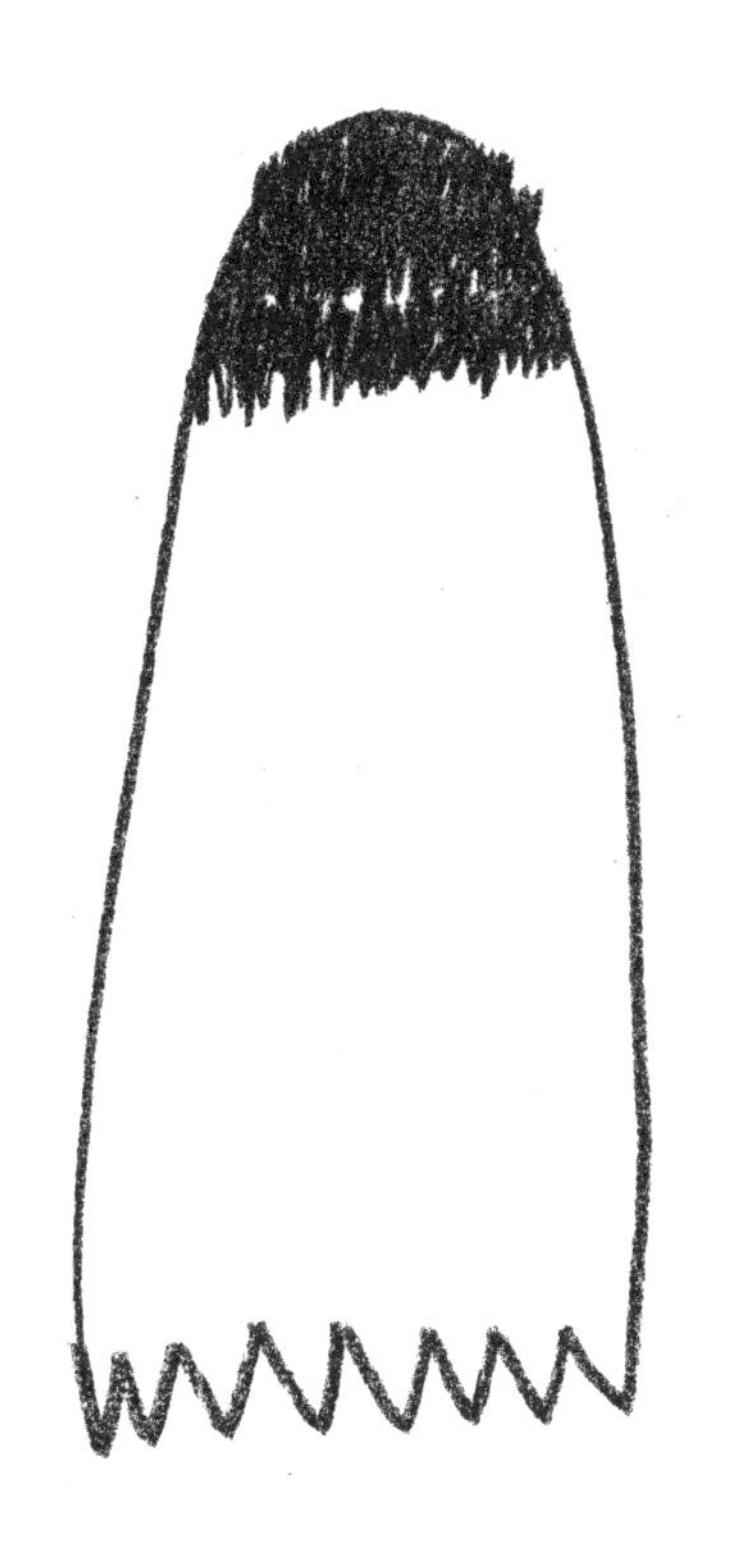

33
布団とぽかぽか

布団が干されてるあいだ見守るのがみちこちゃんの仕事。「ぽかぽか。ぽかぽか」と布団にいうけれど、かぶと虫が飛んでると追いかけてしまう。岩の上、隣の町、「ぽかぽか。ぽかぽか」布団がさびしくないように、離れた距離の分だけ声を大きくした。

34

タイミングと犬

だれも知らないタイミング。犬がいっせいに上を向く。星があくびをしているよ。みちこちゃんの喉(のど)がゴロゴロ。

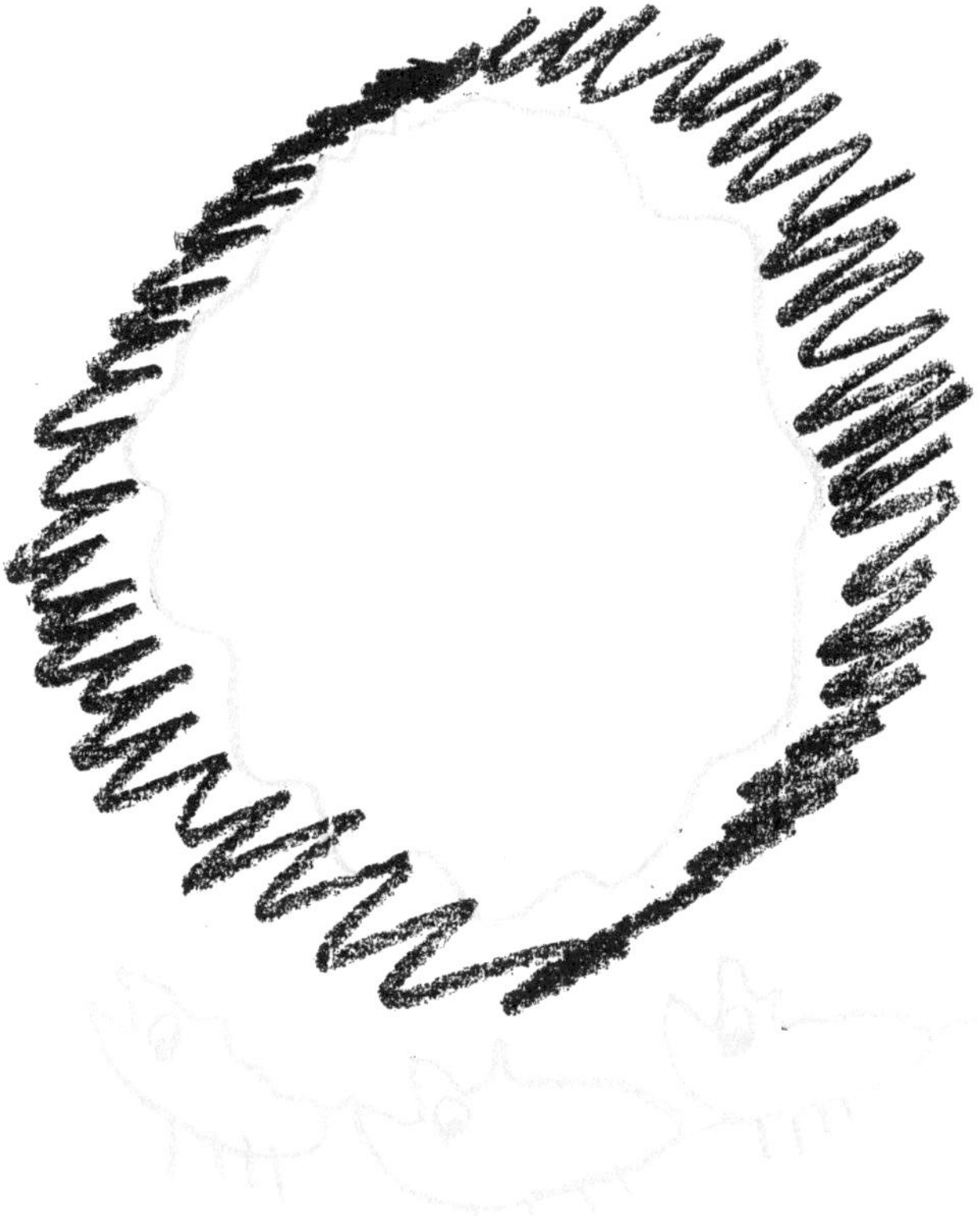

35

おにぎりと家

ちょっとしたくぼみにおにぎりを置く。ヒジの内側、砂の上、メリーゴーラウンド、割れた鏡、スズメのお風呂、隕石(いんせき)が落ちたお月さま。おにぎりは住みよい家を探しています。

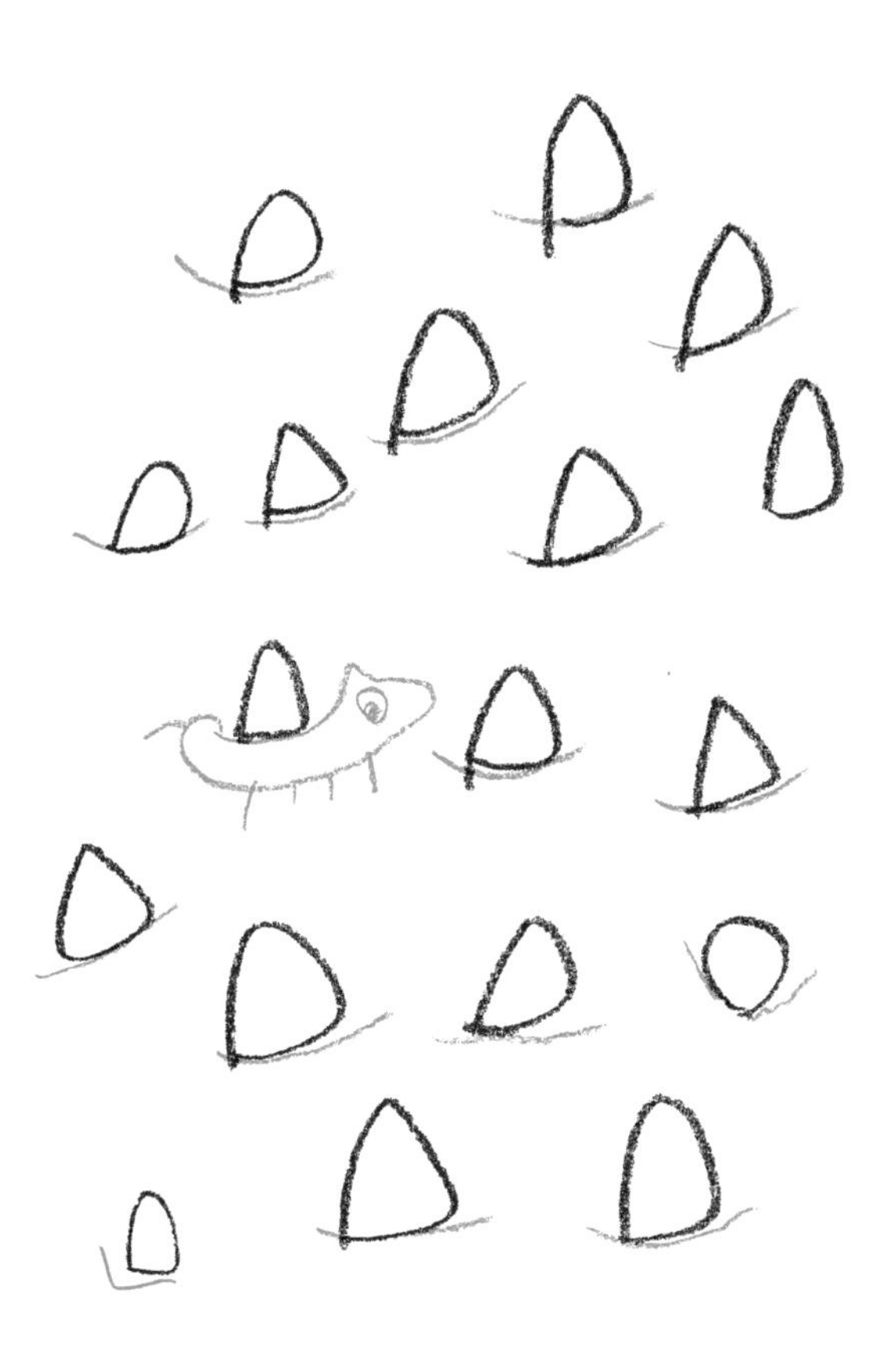

36
電気とまばたき

電気が切れかけてると思ったら、まばたきをしているだけだった。気にしだすともうダメ。めっちゃまばたきをする。その時間をつなげると、最初から最後まで真っ黒い映画ができた。あんまり静かなので、みちこちゃんアカデミー賞を10こさしあげてもいい。

37
みちこちゃんとテレビ

テレビが速い。まばたきみたいに画面が変わる。みちこちゃんもまばたきをしている。目は口みたいになって、光をぜんぶたべちゃうぞ。口のなかでテレビが速い。知らないひとの声がする。笑い声。爆発の音楽。サザエさんの声。

恐れ入ります
切手を
お貼り下さい

京都市上京区新烏丸頭町
164-3

株式会社ミシマ社　京都オフィス

ちいさいミシマ社編集部　行

フリガナ

お名前　　　　　　　　男性．女性　　　歳

〒

ご住所

（　　　　）

お仕事．学校名

メルマガ登録ご希望の方は是非お書き下さい。

E-mail

※携帯のアドレスは登録できません。ご了承下さいませ。

★ご記入いただいた個人情報は、今後の出版企画の参考として以外は利用致しません。

ご購入、誠にありがとうございます。
ご感想、ご意見をお聞かせ下さい。

①この本の書名

②この本をお求めになった書店

③この本をお知りになったきっかけ

④ご感想をどうぞ

＊お客様のお声は、新聞、雑誌広告、HPで匿名にて掲載させていただくことがございます。ご了承ください。

⑤ミシマ社への一言

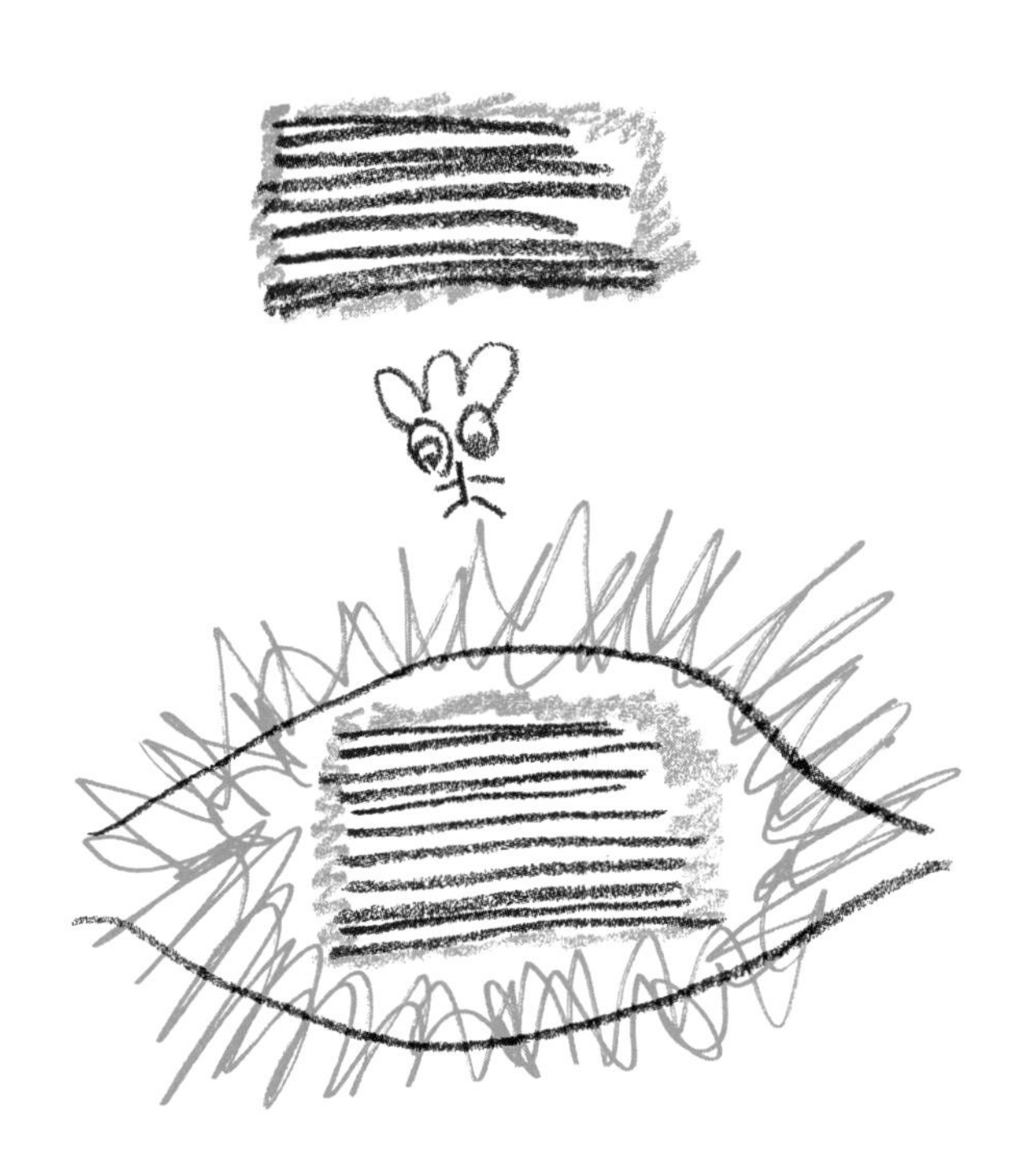

38 お相撲さんとケルベロス

お相撲さんとお相撲さんがぶつかるよ。ブゥバッチン！「あれはもう、ゴジラとかキングギドラとかだよ」みちこちゃんはケルベロスにいう。グルルルル。ええーケルベロスの方がつよいー？

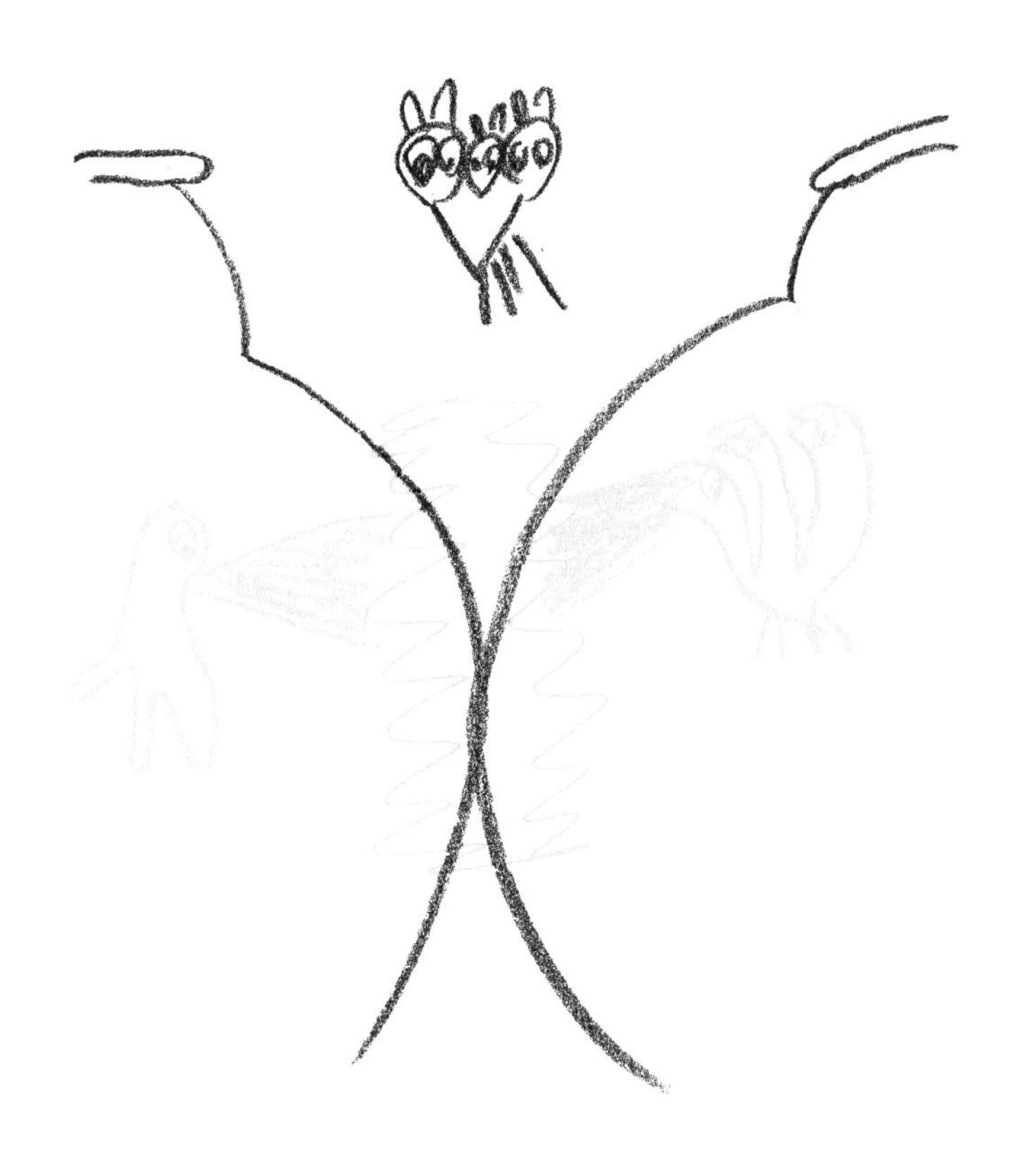

39

蜘蛛とカニ

「能もおばあちゃんと見た」蜘蛛(くも)の妖怪のはなし。幕と幕のあいだで、カニが自分のことを蜘蛛とまちがえて出てきちゃってた。

40

だるま落としと風景

だるま落としがたまらなくなる。勢いあまって、風景まではじきとばす。くるくるまわった風景が、勢いあまってみちこちゃんとガッチャンコ。

41
犬とシール

「犬」と書いたシールがある。これを貼っているあいだ、ぜんぶが犬になる。つくえ犬。イス犬。パソコン犬。本犬。はさみ犬。階段犬。冷蔵庫犬。家犬。ギター犬。町犬。春犬。夜犬。海犬。地球犬。今日、みちこちゃん犬は新幹線犬に乗っておばあちゃん犬のお見舞いにいった。犬だから、こわかった病院犬にも入れた。

42

みちこちゃんとシール

みちこちゃんはシールをつくった。「みんながしあわせになる」

みんながしあわせになる

43

みちこちゃんと100億年

歯医者さんは必ず歯のマークがついてるからいい。犬も猫も歯医者さんのことがわかる。みちこちゃんはみちこちゃんのマークをつくる。１００億光年先の星からもみちこちゃんだとわかるくらい大きい。いつ地球が滅んでも、みちこちゃんの光は１００億年残る。

44

スズメとみちこちゃん

ヒジのくぼみにいつもスズメを感じる。おつりの計算ができない。花を枯らしてしまう。落ち込んだとき、スズメはみちこちゃんをはげましてくれる。えらい。ゴージャス。みちこちゃんがいちばん天才。だいじょうぶだよ。

45

花火とネギ

花火は光るネギのかたち。みちこちゃんは花火を買うお金がないとき、家でネギを持っている。手にぶら下げて、シュウゾエエエ、と火の音を口にする。はあとってもリラックス。ぼーっとしていると、いつのまにかネギは釣り竿になってる。

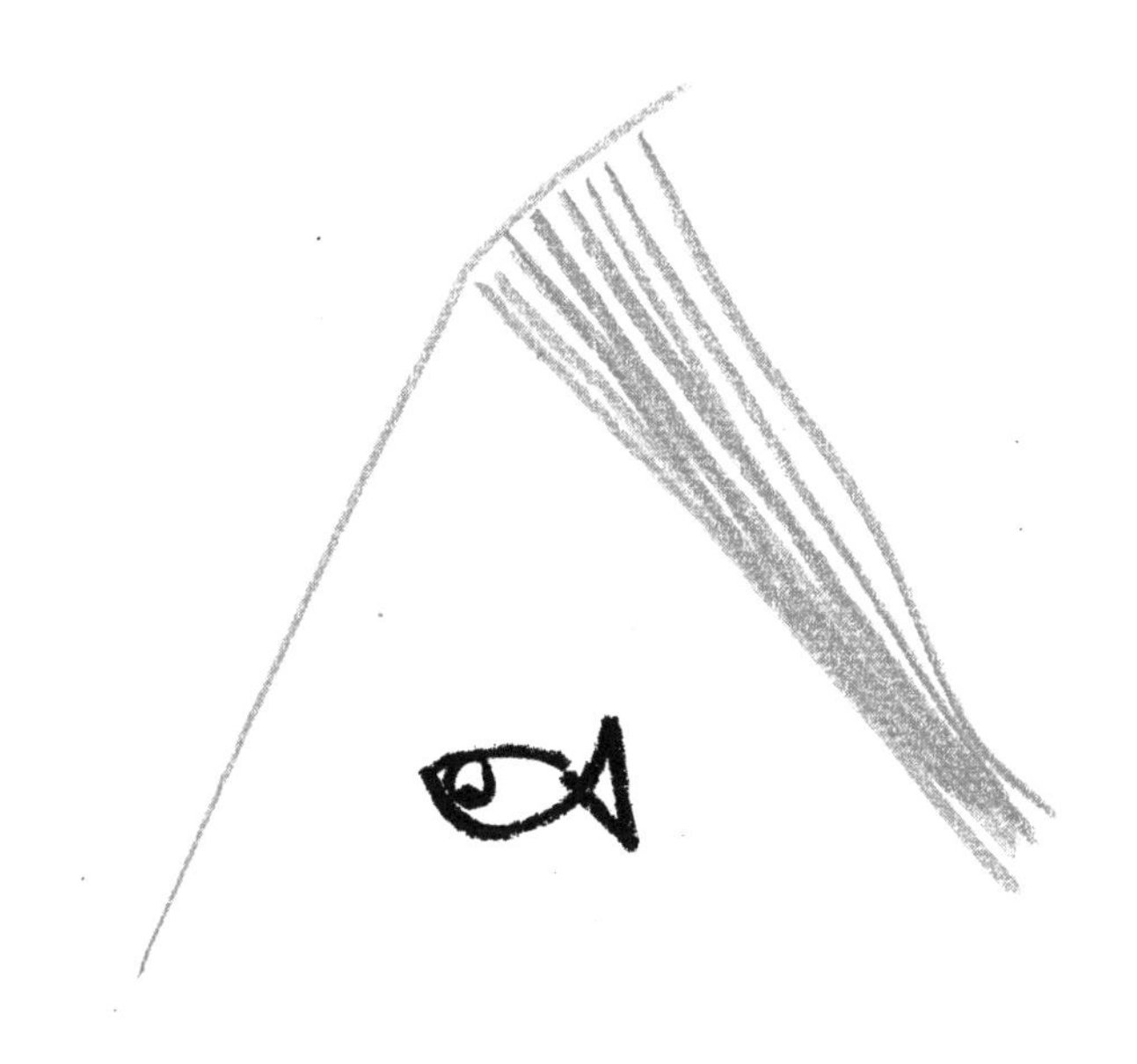

46 みちこちゃんと電話

みちこちゃんが電話をする。「なにぃ！なんだってー！ええーー！！もしもしーー?！」電話はどこにもつながっていない。どこにもつながっていないから、大変なことも起きてなくて、ドキドキだけをたのしめた。

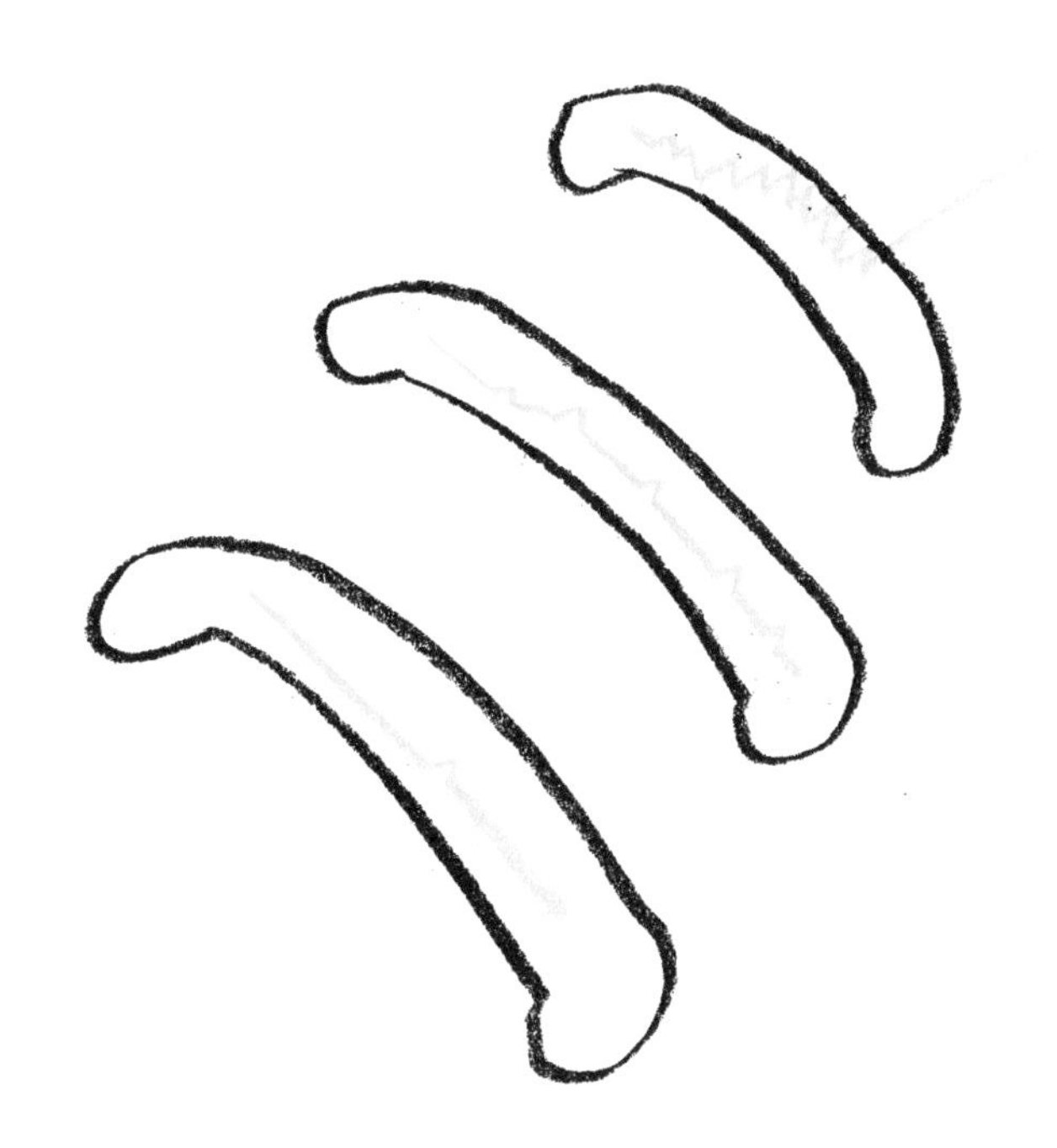

47

みちこちゃんと探偵

みちこちゃんが探偵になる。ハンカチの落としもの。ペッパーくんがふだんなにしてるか観察してよ。迷子のケルベロス。依頼がくると、だれもケガをしてないことにみちこちゃんはうれしくなった。

48 みちこちゃんと悲しみ

エーンガチョ！　エーンガチョ！　エーンガチョ！
みちこちゃんが悲しみを断ち切る練習をしてる。

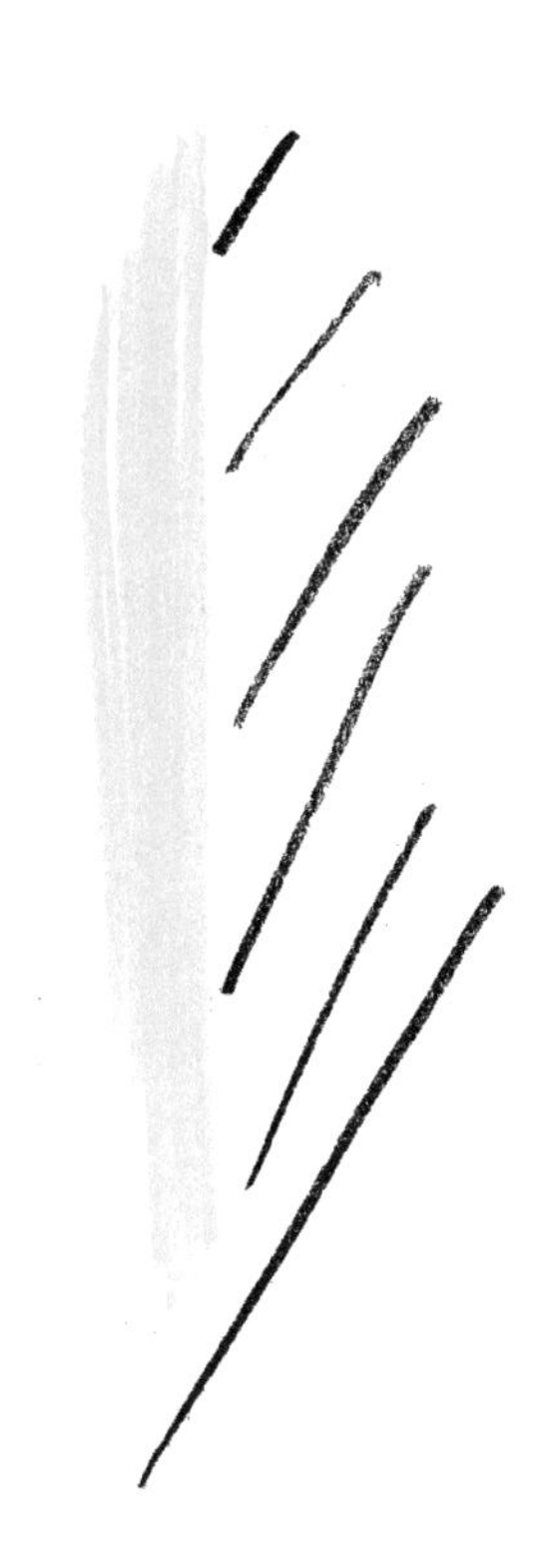

49

セミと名前

ショワショワショワショワ、セミが鳴いてる。窓を閉めて鳴き声がぼんやりすると、揚げ物をしてるときの音になる。エビフライゼミ、からあげゼミ、少し迷ってみちこちゃんはセミに「アブラゼミ」という名前をつけた。

50 みちこちゃんとハリー・ポッター

みちこちゃんはハリー・ポッターを見る。ハリー・ポッターと賢者の石。ハリー・ポッターと秘密の部屋。ハリー・ポッターとアズカバンの囚人。ハリー・ポッターと炎のゴブレットから先がいつもおぼえられない。「ハリー・ポッターとみちこちゃん」では、みんなでフルーツサンドをたべます。

51

夏と景色

ジャンプしたら、見える雲のかたちがちょっと変わる。ぴょんぴょん飛び跳ねながらみちこちゃんは移動して、雲も移動を続けていった。自転車の前カゴに乗った犬。麦わら帽子の柄をしたワンピース。棒アイスが溶けて、しずくに集まった虫をみちこちゃんが飛び越えていく。

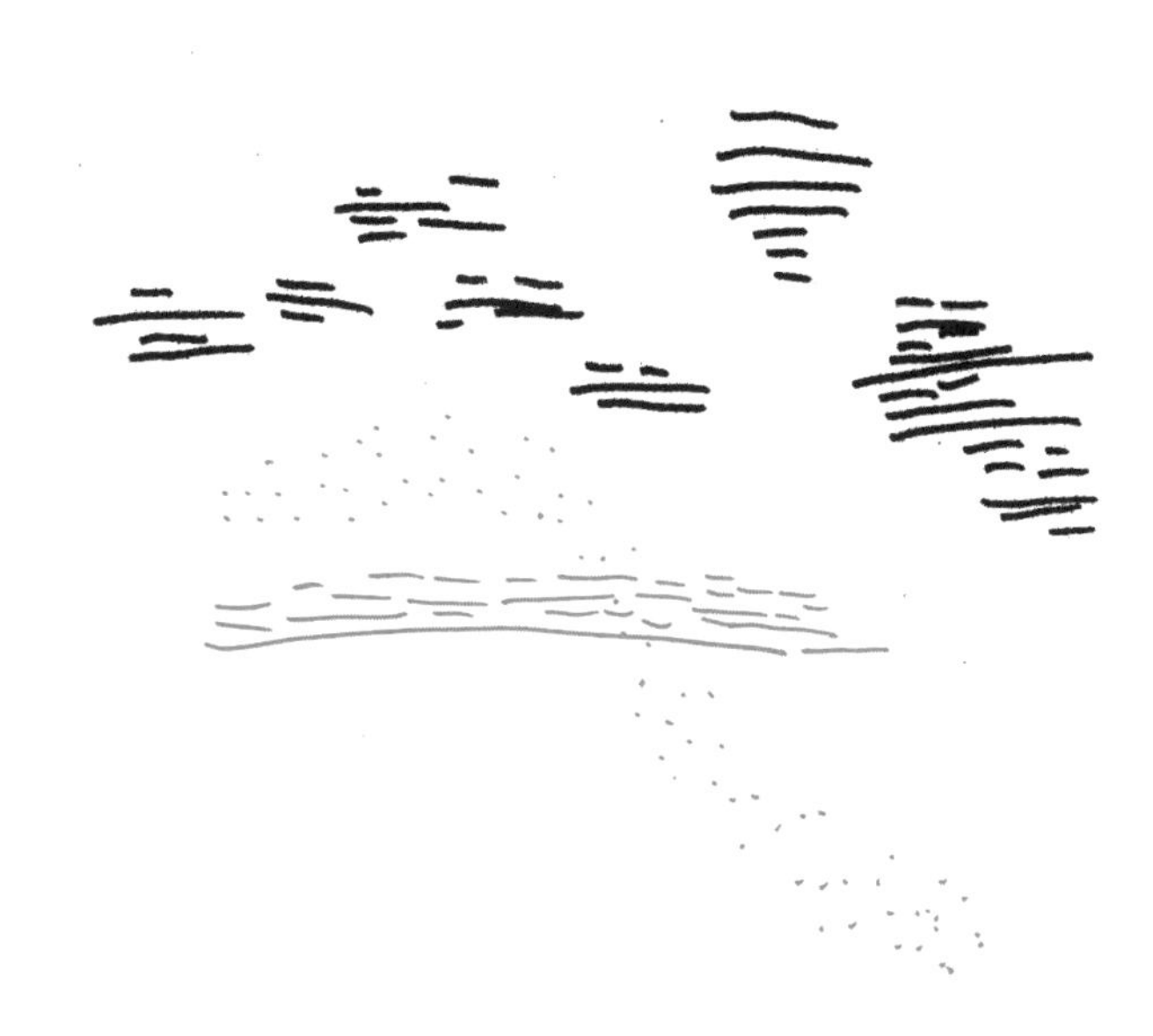

52

あつい日とまいにち

あつい日の一本道は永遠に続く気がする。寒い日や、ちょうどいい日はどうだったんだろう。「いつもまいにちをわすれちゃうね」前髪をなびかせてみちこちゃんはポムポムプリンのアイスクリーム型ファンにいう。

53

みちこちゃんと誕生日

みちこちゃんはハッピーバースデーの歌をうたいながら歩き回る。今日もだれかの誕生日だから。

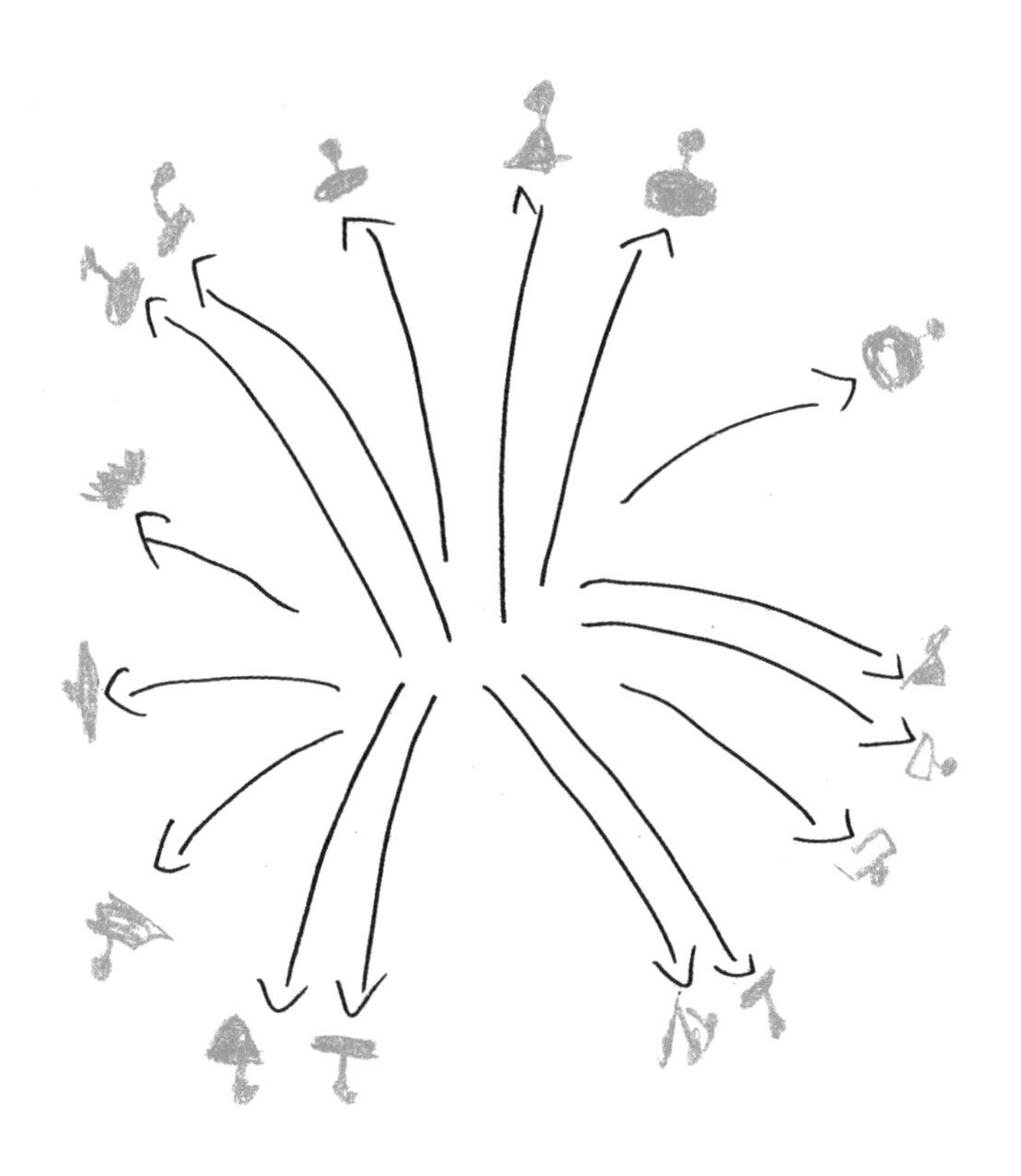

54
きのうと今日

夜中に目が覚める。散歩をすると天国みたい。ちょうどいい気温がからだを軽くして、ときどき胃がにゅーって動く。猫みたい。左の方に光る鳥居があって、じっと見てたら日付けが変わった。きのうから今日になる瞬間ってはじめてだった。ぼーっとしたよ！

55

みちこちゃんと本

みちこちゃんには自分の部屋がある。みちこちゃんは本棚と天井のあいだに寝そべっている。だれかが部屋に入ってくると、「吾輩(わがはい)は猫である」とか、そういうことをいう。本とまちがえられるのを待っている。

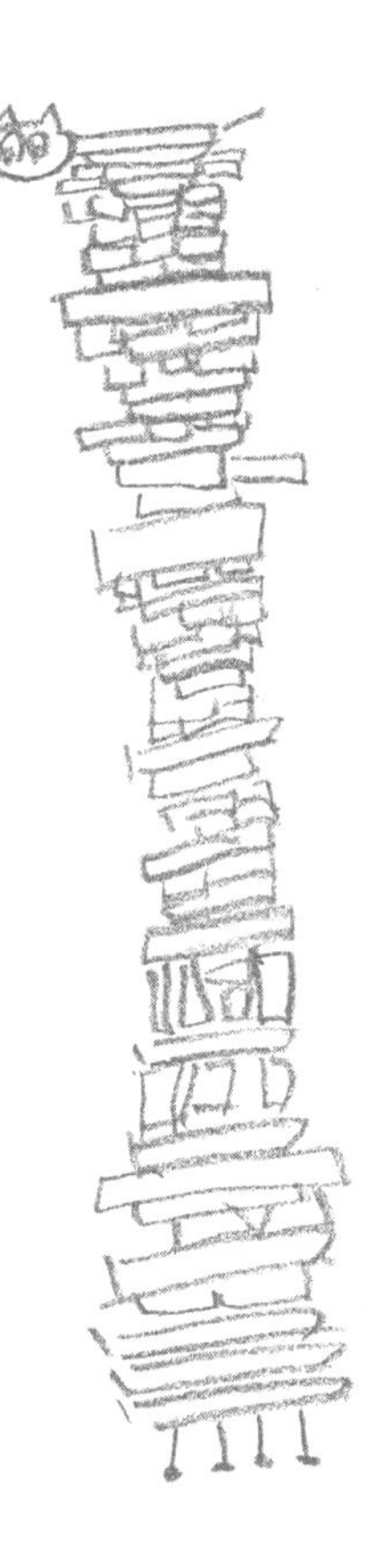

56

目と世界征服眼帯丸

目のなかに犬がいるみたいに目がかゆい。顔を洗ってアイボンをして、それでかゆくなくなったら、犬が出ていっちゃったってこと？　いやだ。みちこちゃんはキラキラゴージャスな眼帯(がんたい)をつくる。犬の名前は世界征服眼帯丸(せかいせいふくがんたいまる)。

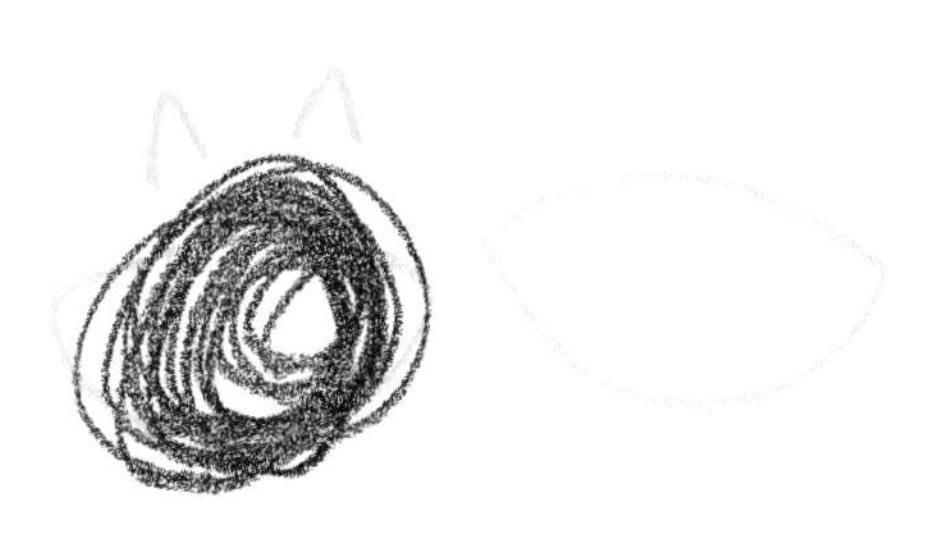

57

万里の長城ガイドさんと歯医者さん

万里の長城ガイドさん。からだをくねくねして万里の長城ポーズをするよ。「はい！万里でーす！」２１１９６キロがみちこちゃんの目にも見える。歯医者さんは聞いてるだけで歳を取った。

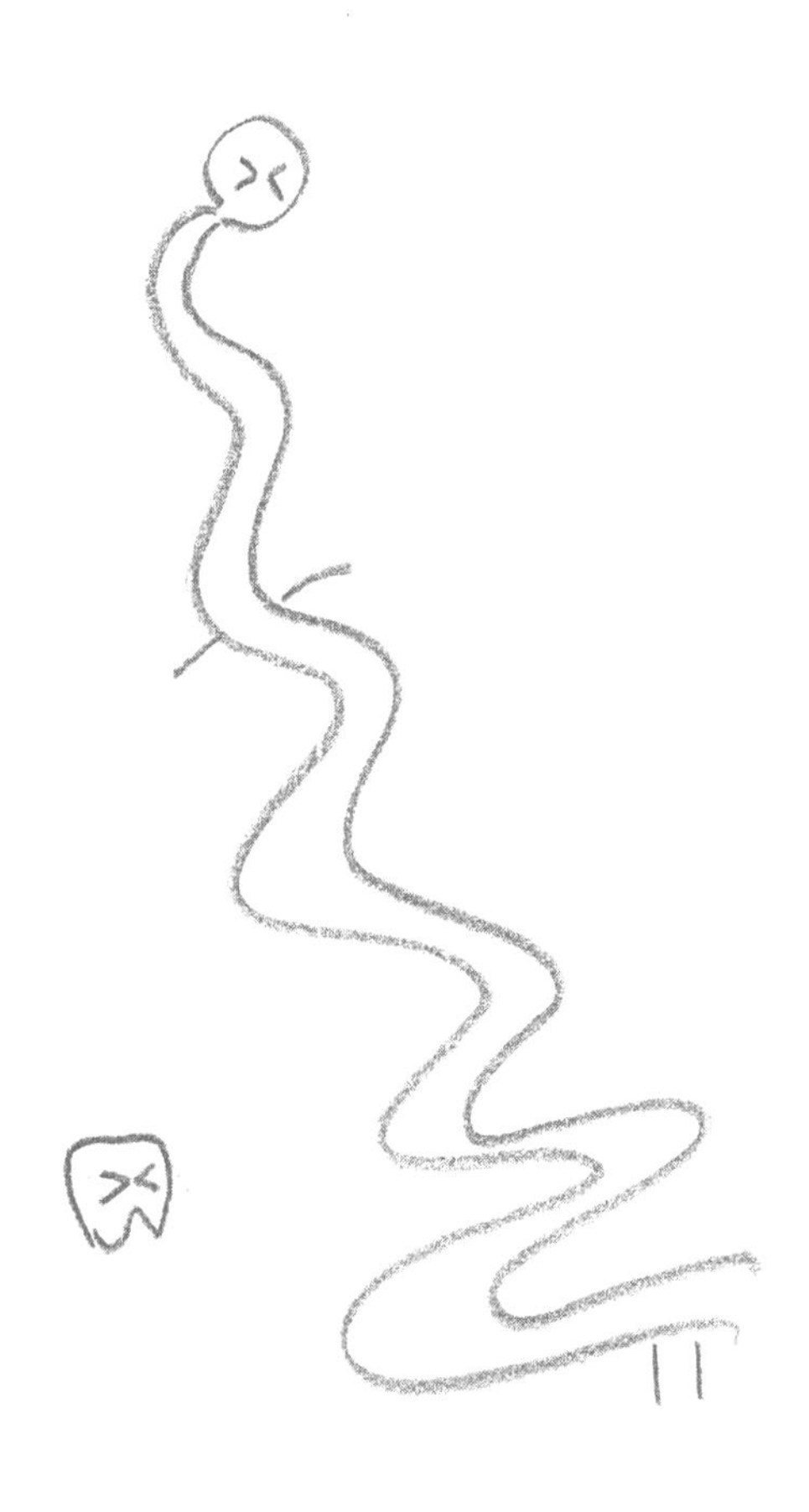

58

布団とハリー・ポッター

布団のかたちに無頓着(むとんちゃく)。みちこちゃんの布団はかたよっていて、いまはアナコンダ。シェバァァァア。ハリー・ポッターが蛇とはなす。ちゃんと布団のかたちになりたいんだって。オッケー。

59

ケルベロスと店長

ケルベロス、燃えるみたいにあたたかい。地面にもぐると気持ちよかった。天国地獄天国地獄。みちこちゃんがなにも背負わないよう、いろんなものをたべちゃうぞ。台風。火山の噴火。隕石とまちがえて、セブンイレブンの店長の鼻をかんじゃった。

60 温室と呪文

温室。あそこは涼しいなあ。スパティフィルムヴェンドランディ。カラテア・ゼブリナ・フミリオル。呪文みたいな、ハリー・ポッターに教えてあげたい植物ばっかり。あーおしゃれ。心のおしゃれですシールが足りないよね。

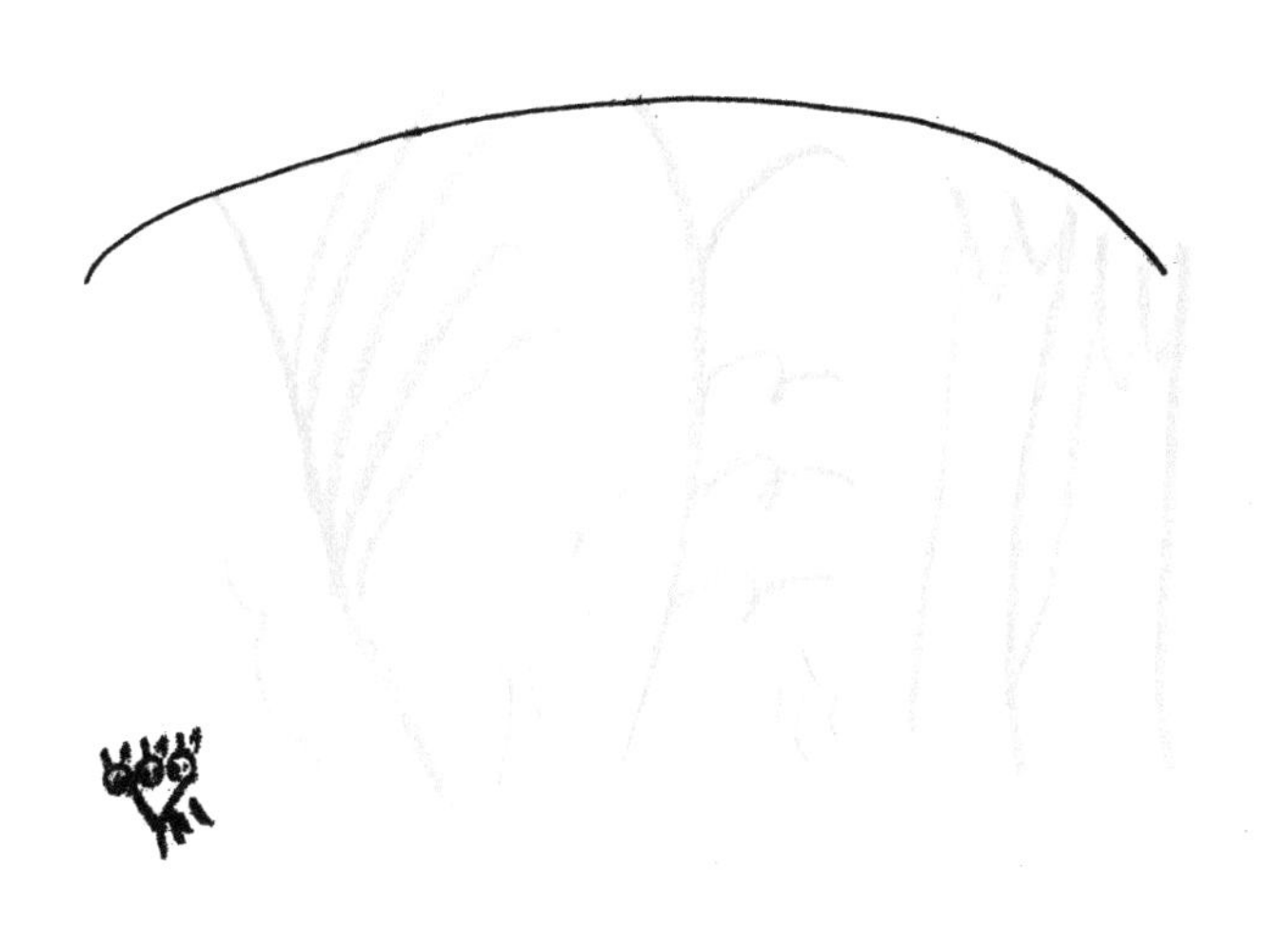

61

時間と風

さらさらさら、森のなかは時間がおかしい。そこに吹く風ばかり、植物がゆれる。太陽と虫がみちこちゃんを覆う。ここにずっといたい気がする。遠くで、蓮(はす)の花の開く音がした。

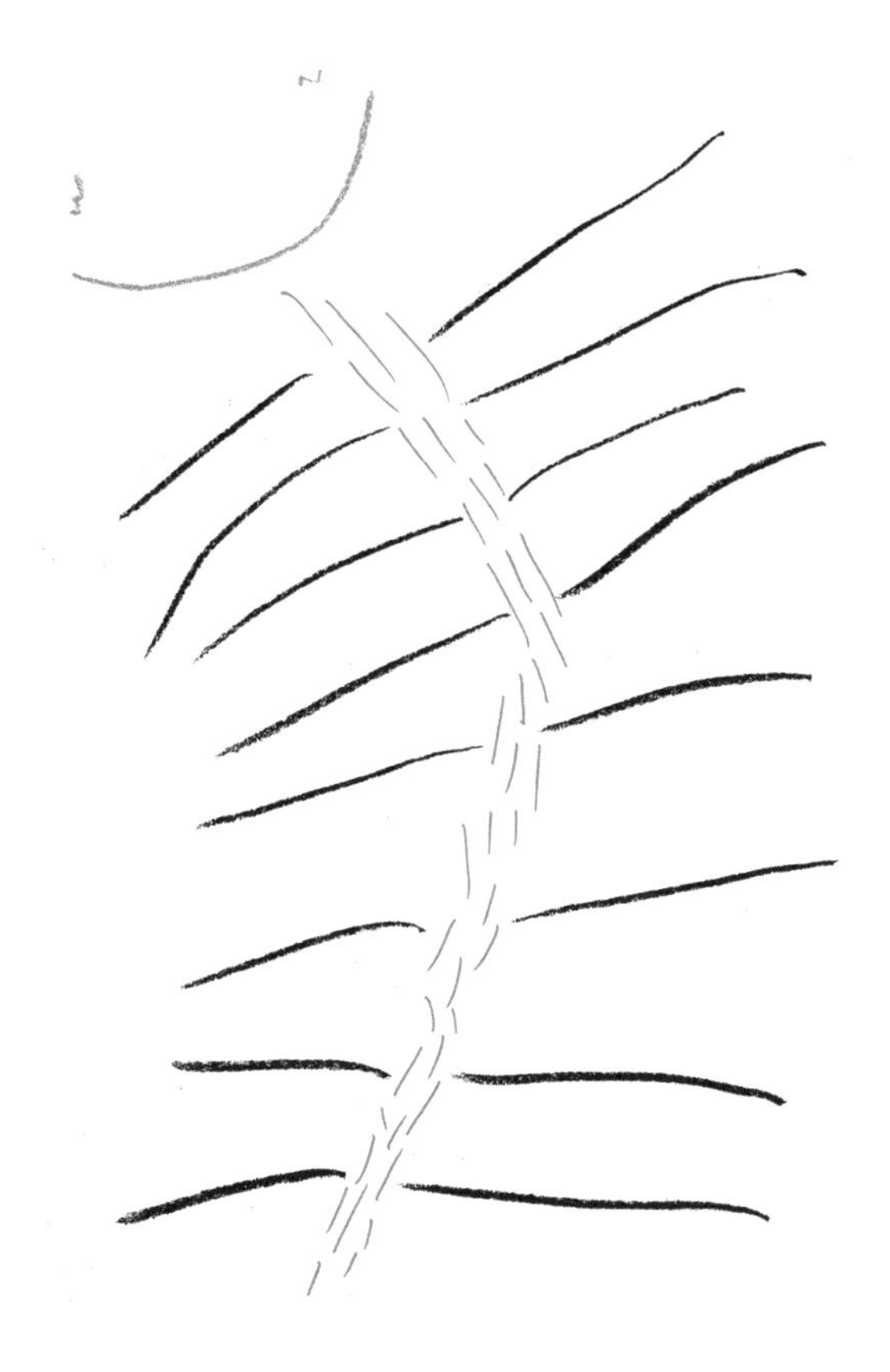

62

汗と風景

目をかたくつむった。切り取った風景が、どろどろ汗になって流れていく。ぶぅ、ん、ぽと。汗がたれて、地面でしるしになるよ。そこから生まれる植物が、みちこちゃんが見た風景をおぼえている。いつか会おうね。

63

朝と夜

朝がくるのが遅くなって、夜がくるのが早くなる。みちこちゃんにはわかるんだ。まいにちゆっくりそうなっている。そのうちぜんぶが夜になっちゃう。

64

夜と朝と昼

朝がくるのが早くなって、夜がくるのが遅くなっていってるときもあった。そのまま時間が経っても、ぜんぶが昼にはならなかった。意外だなあ、とみちこちゃんは思った。

ぬり絵だよ～

例

65
雨と楽器

すごい雨。地面にぶつかるバチバチが、からだの上から聞こえるみたい。雲のごろごろはケルベロスのものまね。「なかなかごろごろ上手じゃん、雲、バチバチ、バチバチバチバチバチ」みちこちゃんは楽器になった。

66

透明と落ち葉

ちょうどいい気温が続く。夜中からだんだんおりてきて、昼間でもちょうどいい気温。からだが透明になったみたい。落ち葉をパチャパチャ踏んで、みちこちゃんがいることを確かめるよ。

67

宇宙と点

宇宙のなかの、小さな小さなひとつの点。ぐっと目をこらすと、動いていて、それがみちこちゃんだとわかる。

68

たこ焼き器と指輪

電気屋さんのたこ焼き器のなかに指輪が忘れられている。ひっくり返してひっくり返してお店のなかをジェットコースターみたいに光が泳いでいく。指輪の見た風景が、ひっくり返されひっくり返され、まあるく、たこ焼きのかたちに収まるよ。みちこちゃんの目にうつるそれはまぶしい。

69
空とケルベロス

夕方の雲がキラキラゴージャス。じっと見てたら、ケルベロスが空に吸い込まれていった。バビュウウン。空からケルベロスが吠(ほ)えている。みちこちゃんになにか伝えているよ。ふむふむ。なるほど？「ぬり絵が足りなかったら、いろんなところに自由に描いてね」

ボクはピカチュウをかこうかな

SNSにあげてもいいよ

他のページにもかいていいよ
(文字があるところでもいいよ)

ご自由に

70 山とみちこちゃん

山の向こうから太陽がのぼってくる。指で山の線をなぞると、光の線とぴったり合う。指のなかから、落ち葉を押しあげ、伸びていく植物の音がする。うーん、べきばきぽきぽき、さらさらさら。みちこちゃんが伸びをする。これを、山のみちこちゃん体操と呼びました。

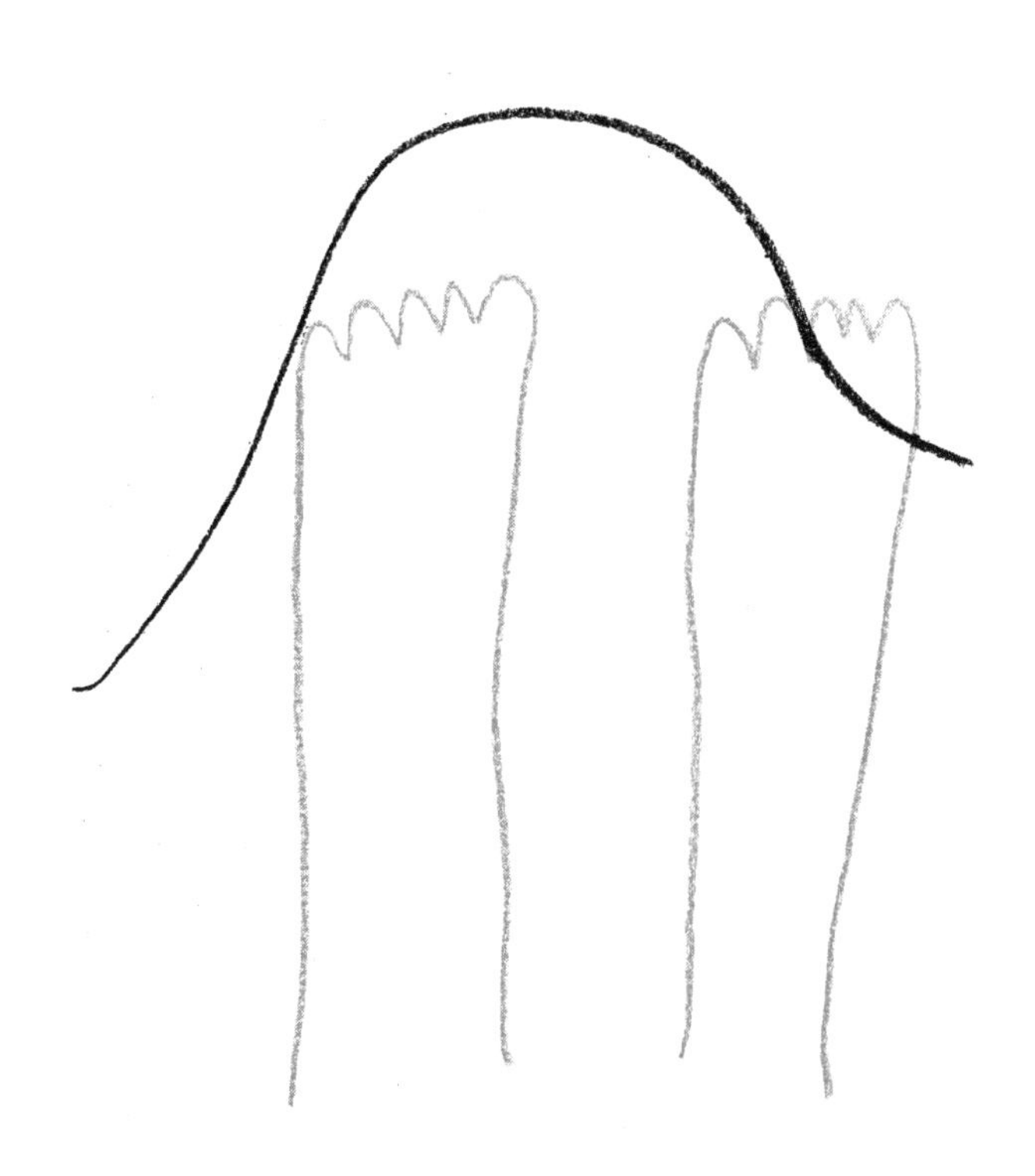

71
鍋とペガサス座

鍋をする。ペガサス座がのぼった。みちこちゃんは地球上にいて、鍋とペガサス座をつなぐ。だいこんと星を光らせる。あぶらあげ。きれいな羽。足がはやい。とり肉。だしの輪っかのぜんぶにみちこちゃんとペガサス。これもまたキラキラゴージャス。

72

木と色

木は、きのうより赤い。まいにち木の色が変わるから、まいにち、だれかが、ぜんぶの木をだんだんちがう色に交換している。抜いて、植えた。抜いて、植えた。みちこちゃんはそれを、クリスマス以外のサンタクロースの仕業（しわざ）だと思っていた。

73
ホームパーティーとキャベツ

ホームパーティーで雪が降る。雪のなかでジュースをひやした。みちこちゃんは、家から持ってきたキャベツをひやした。キャベツはどこにいてもおしゃれ。ケルベロスも雪から顔を出した。キャベツも顔を出す。なかよしだね。

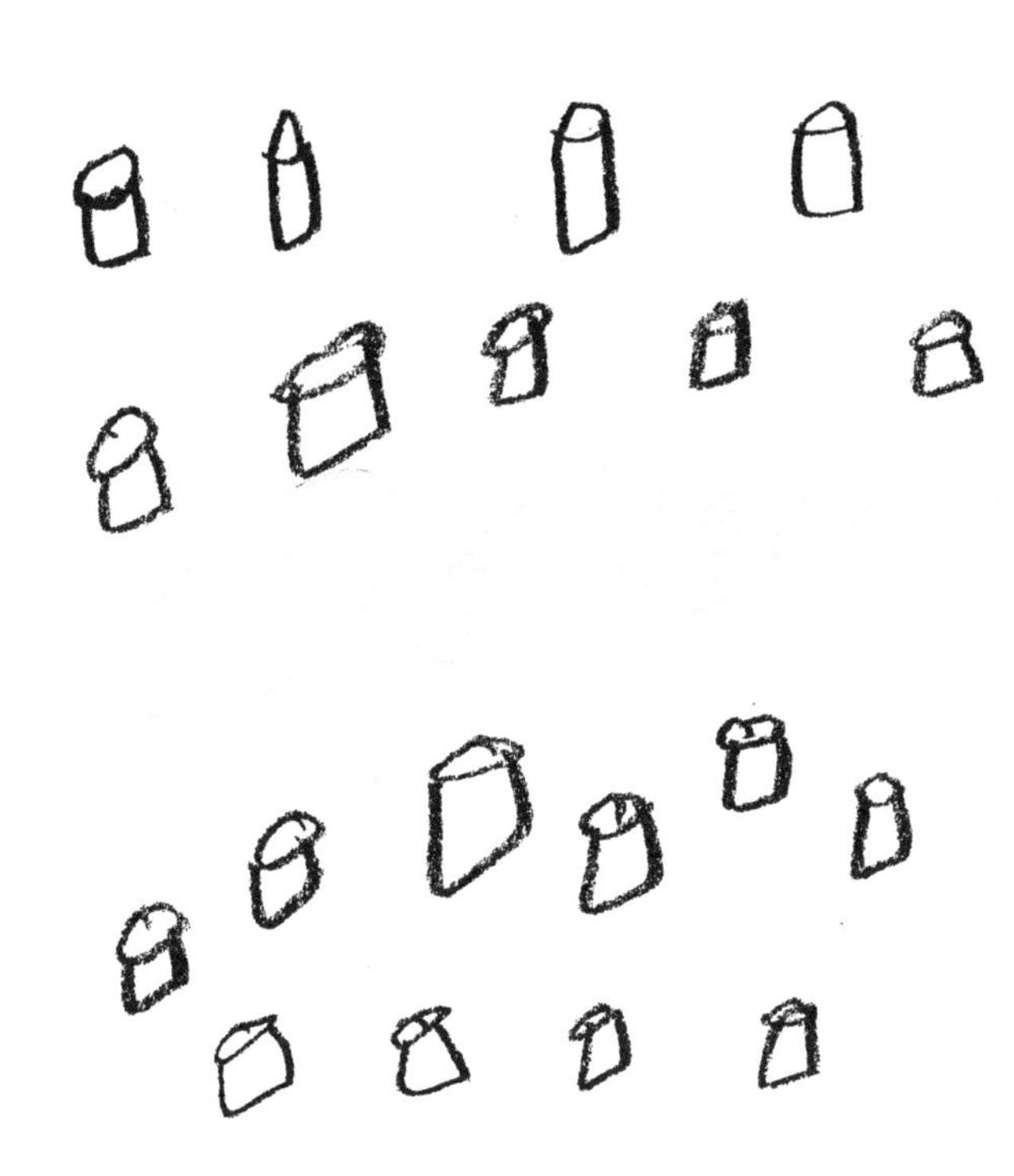

74

8とみちこちゃん

思い出を絵にしてる途中、８の数字を書いてたら止められなくなった。ぐるぐるぐるぐる、ずーっと8から手を離せない。みちこちゃんは、遠く遠くのことを考えた。考えた。考えは、遠く遠く、地球を一周して、みちこちゃんの背中にあたった。そしたら「サカナクションョン」くしゃみして、ようやく、手を離せた。あーこわかった。

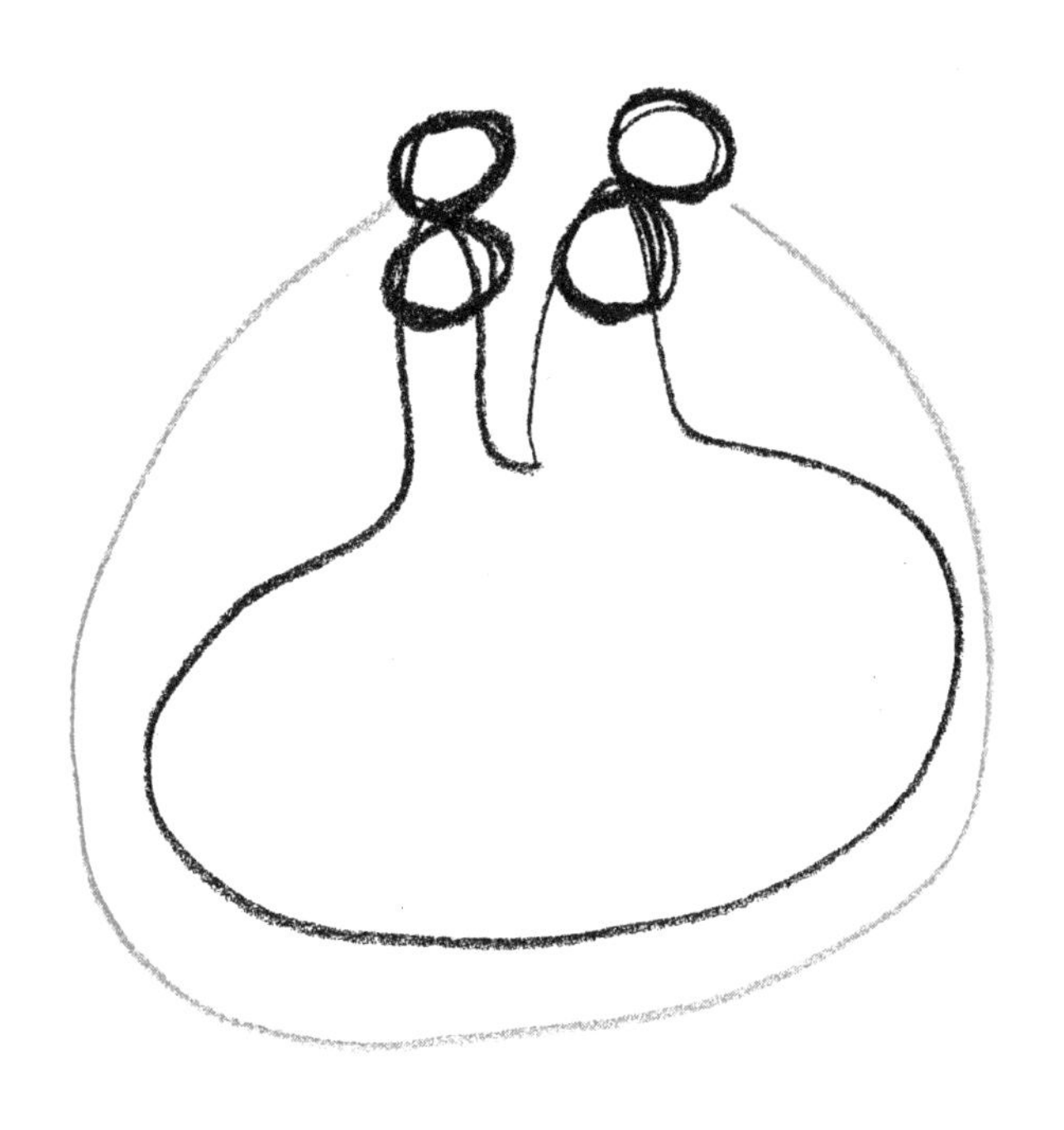

75 エビフライとケルベロス

エビフライが歩いてくる。どこにいくんでしょう。ケルベロスは、よだれを垂らしながらあとをついていく。エビフライは、ネギが抜けたあとの、畑の穴に、すっぽり入りました。そのままスヤァ。気持ちよさそうにねむります。そばで、ケルベロスもすやすや。

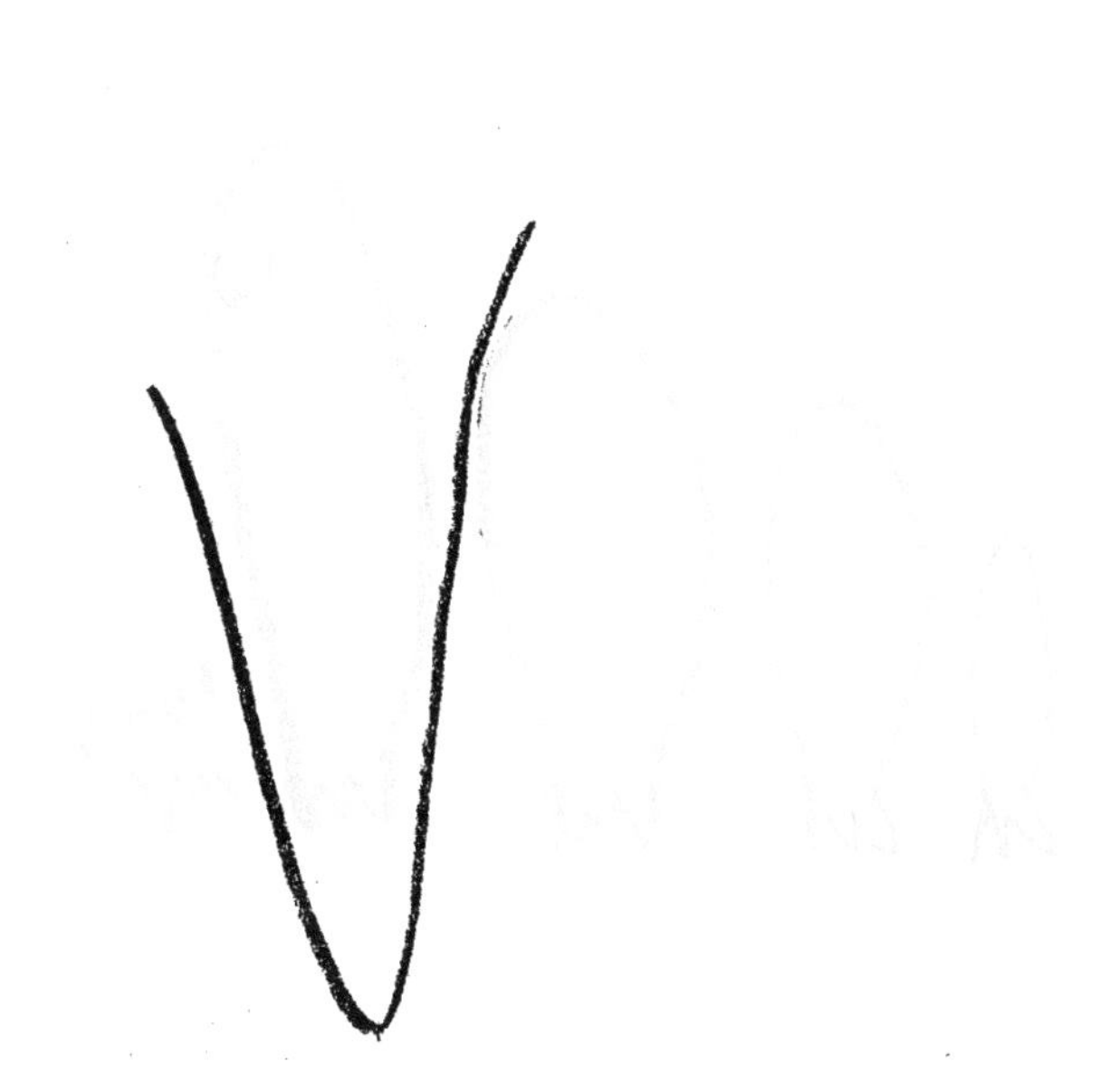

76

ケルベロスと歯

シーポシーポシーポ。歯・を・みがきましょう。ケルベロスの歯は何本だ。わ〜。数えようとして太陽がとっても近づく。暑いね。お月さまも近づく。まぶしいね。ケルベロスといっしょにシーポシーポシーポ。

77

からあげと岩

みちこちゃんとケルベロスとキャベツで岩のふりをしていたら、からあげとまちがえられる。ケルベロスは眉間にシワが寄って、ますます岩みたい。キャベツもまんまるじゃなくなって、岩みたい。みちこちゃんはじっとして、どちらかというとおスシみたい。

78

みちこちゃんと風

「みちこちゃんみちこちゃん、風をひとつくださいな」はーあーいー。5万円です！　返事をして、みちこちゃんは髪におだんごをつくります。ついでに歌をうたいます。はい。風をどうぞ。おだんごをほどくと、さらさらさらら、風が生まれたよ。

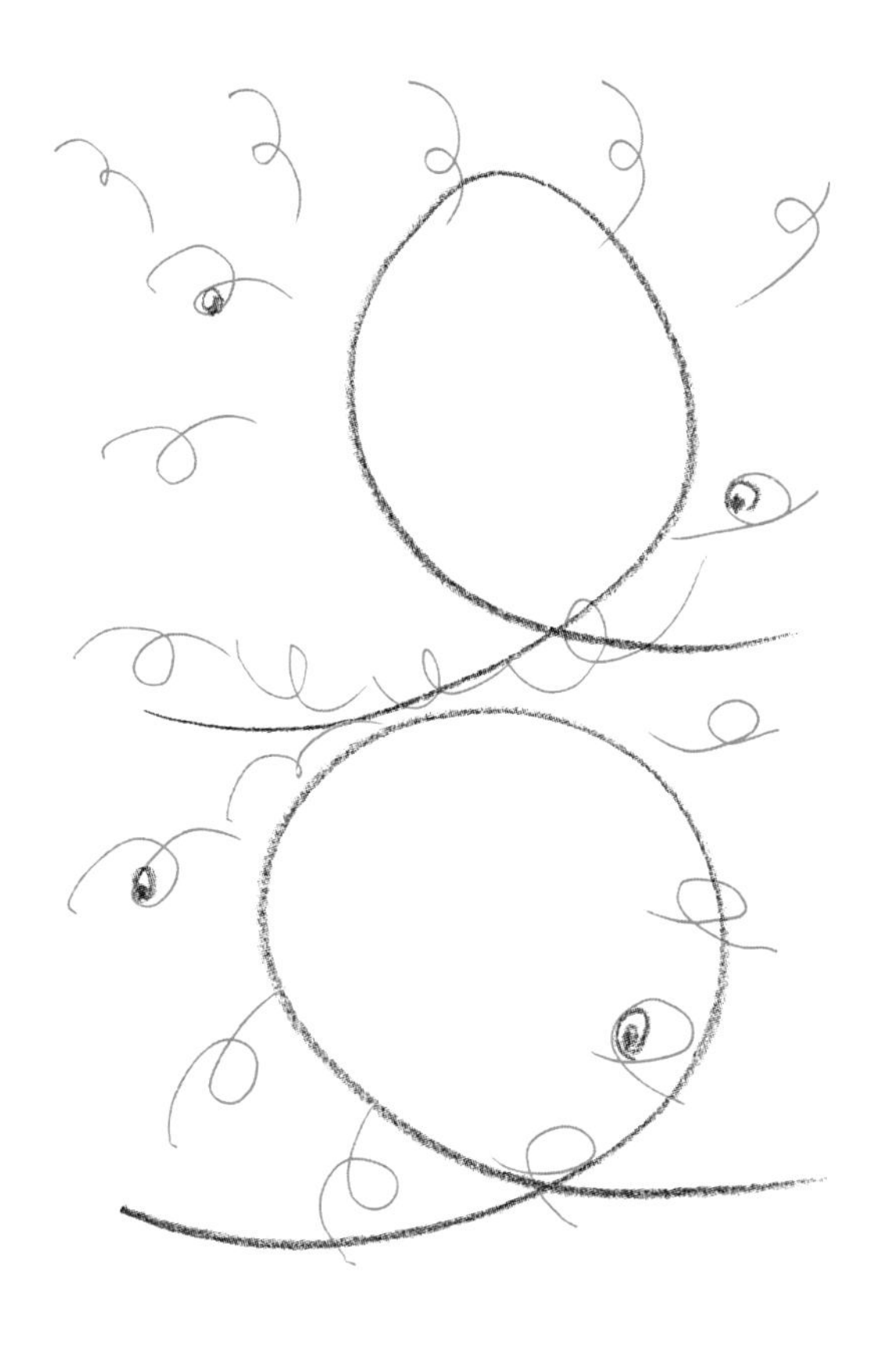

79

7兆円とほがらか2000パーセント

「7兆円と、ほがらか2000パーセント」これは、みちこちゃんがサンタさんにお願いしたプレゼント。朝起きたら、くつ下のなかに入ってるかな。ごきげんよう。ごきげんよう〜。いつサンタさんがきてもいいように、みちこちゃんはねむりながらあいさつしてる。

80

みちこちゃんとキラキラゴージャス

息が白い。すぐ消えた。めちゃくちゃさむい。木をいっぽんいっぽん抱きしめて歩く。「お誕生日おめでとう」って、みちこちゃんは、おばあちゃんから指輪を100こもらったよ。ぜ〜んぶつけちゃお。あ、でも、「ケルベロスと、キャベツと、スズメと、ハリー・ポッターと、あと、くる途中にあった、だれも座ってないイスにひとつあげてもいい?」

81 ケルベロスと桃

くだものの皮べろん。ケガしちゃったときみたい。でも舌みたいでもある。べろんべろんべろん。ケルベロスの3つの舌とくらべる。ハッハッハッハッハッハッハッ。よだれの水たまりができて、そこを飛行機と船とみちこちゃんが通っていった。

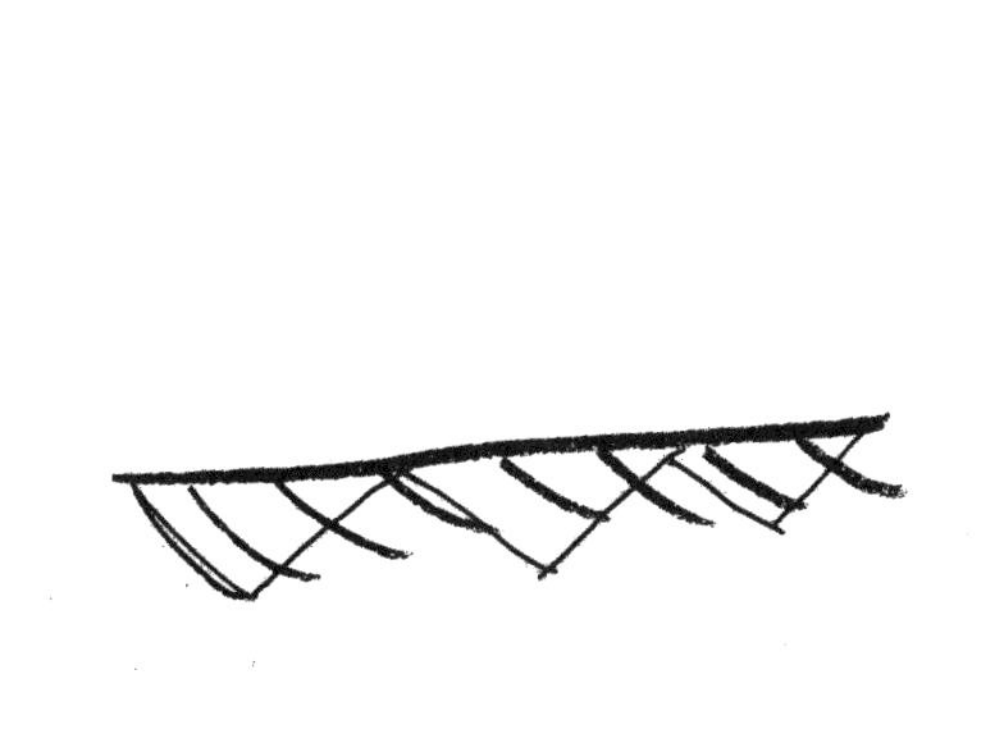

82

靴と季節

船の上に木はないのに、落ち葉が落ちてる。なんで～？ワッ！みちこちゃんが靴の裏を見ると、落ち葉が落ちてきた。ワッ！　ワッ！　ワッ！　ワッ！船にのってるほかのひともまねしだす。落ち葉。桜の花びら。ひまわりの花。あじさい。もみじの葉っぱ。いろんな季節が、靴の裏からいっぱい落ちた。

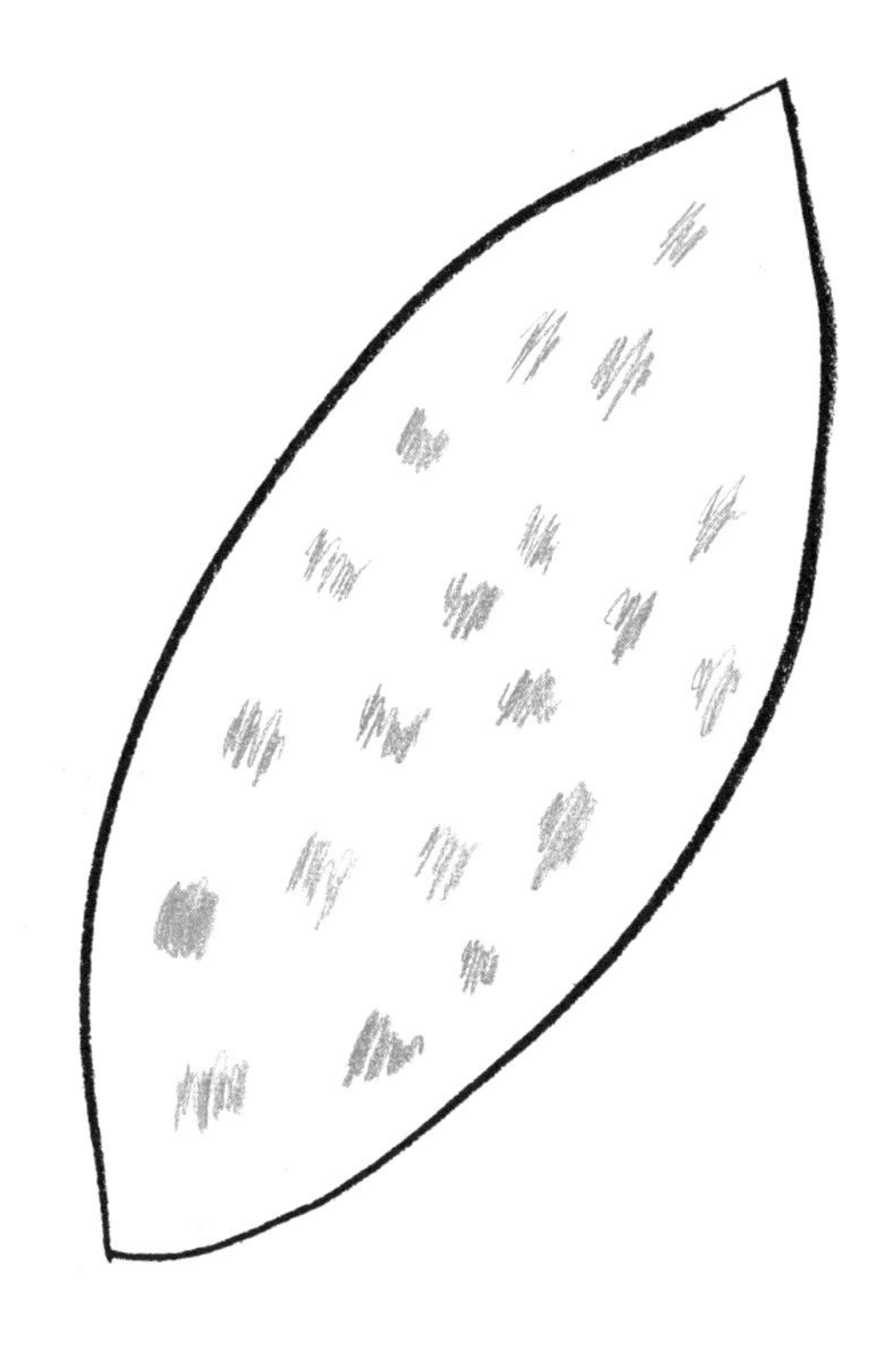

83

みちこちゃんと流れ星

流れ星。お願いごとをするのがまにあわない。流れたあとを、指でまねした。何回も何回もまねをする。そのうち指が星になる。

84

みちこちゃんと手紙

むかしのみちこちゃんからいまのみちこちゃんに手紙が届く。「元気〜〜?」むかし、おばあちゃんといっしょに書いたんだった。みちこちゃんは手紙にいう「元気〜〜」そうだ。ひらめいて、その手紙を未来のみちこちゃんに送った。

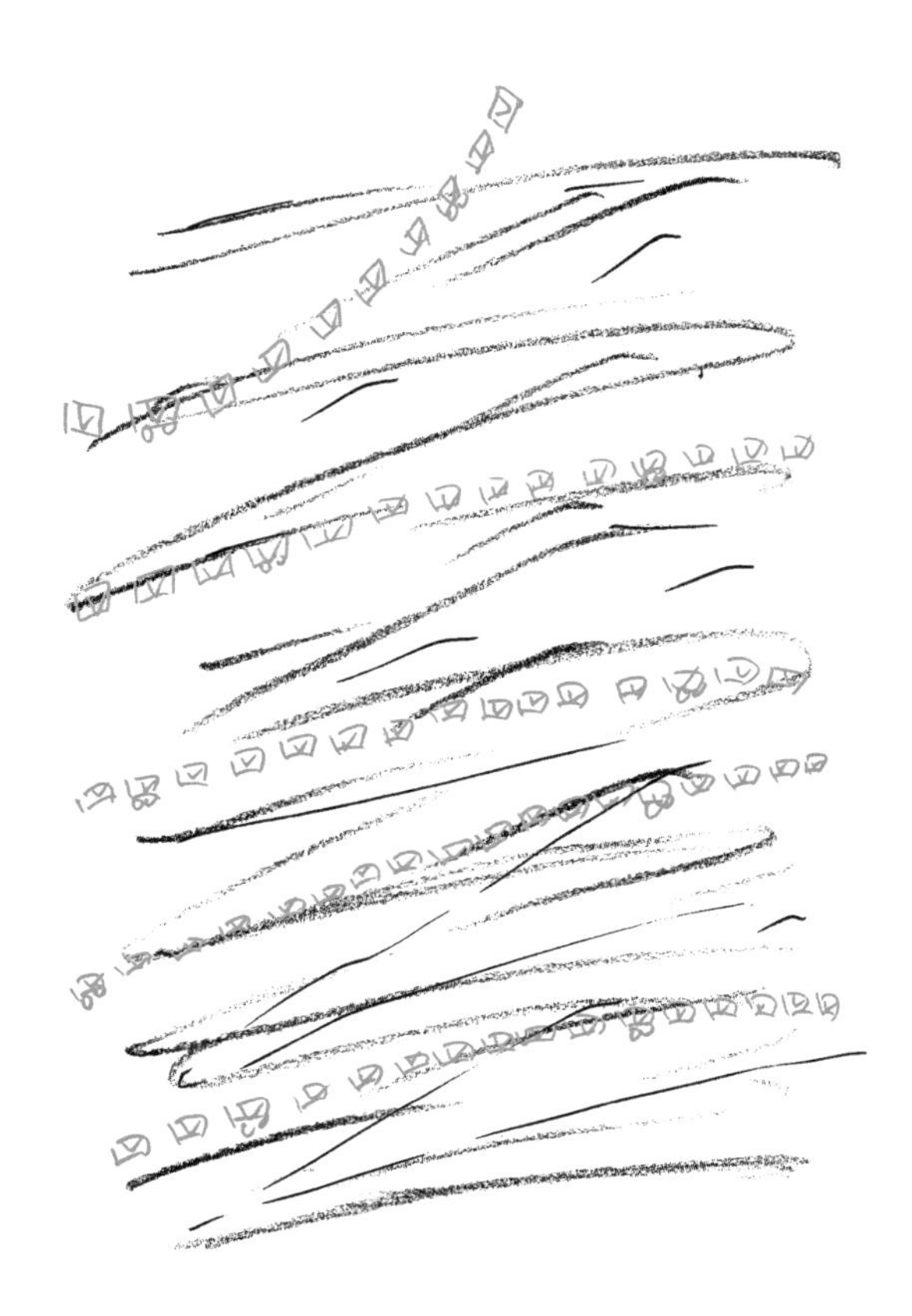

85

電車とみちこちゃん

橋の上を走る電車。指でなぞったらホラ、流れ星。
どこまでいくの？ごきげんよう。

86

ケルベロスと胡蝶蘭

ケルベロス。オープンしたお店にはまっさきにいく。流行に敏感な犬。おしゃれリーダーだと思われている。で・も・ね・ホントはね〜、ケルベロスは胡蝶蘭がすき。胡蝶蘭っていうのは、ケルベロスによく似たお花。顔がたくさんあるんだよ。ケルベロスは胡蝶蘭のそばでねむりたい。

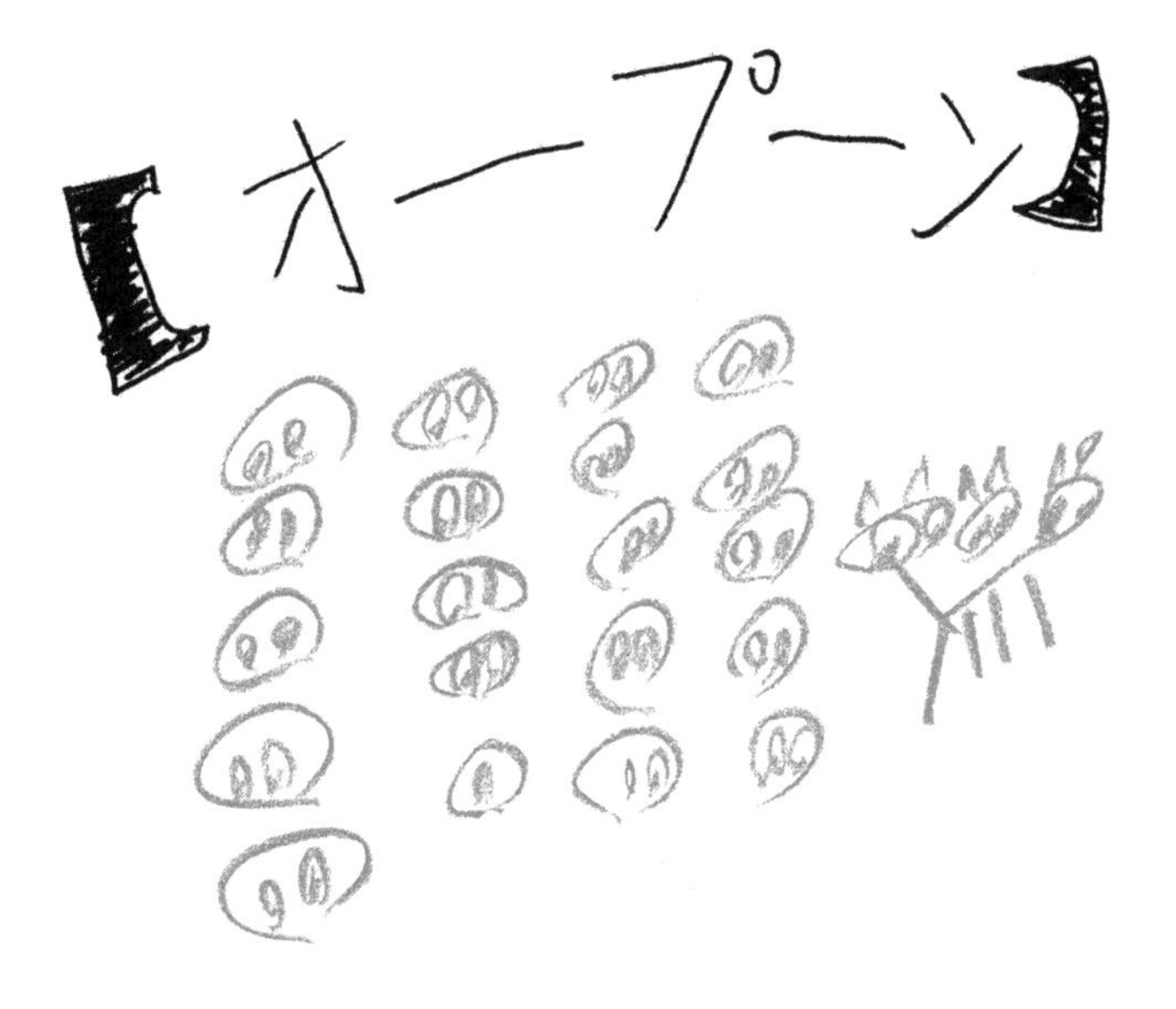
【オープーン】

87

犬とみちこちゃん

わしゃわしゃじゃわじゃわ。みちこちゃん、出会ったぜんぶの犬の、おなかをなでる。わしゃわしゃじゃわじゃわ。犬のおなかの毛のかたち、なんにでもなる。波だよ。山だよ。空だよ。このかたちをおぼえておいて。いつかもっとすてきなものに見えるよ。思い出すから。

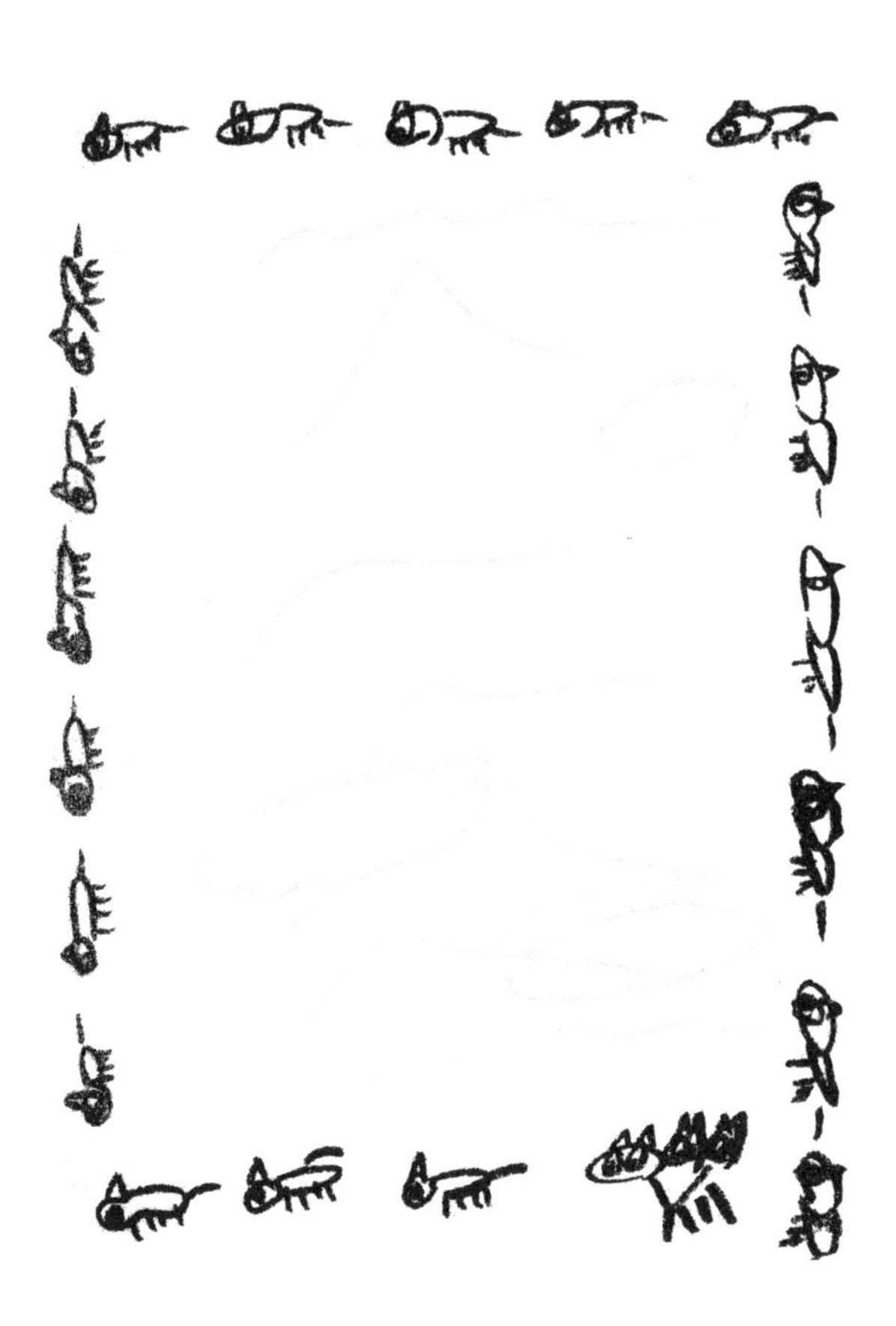

88

桜とみちこちゃん

日なたぼっこしていたら、桜まみれになった。桜まみれになればなるほど、桜の木は、桜まみれじゃなくなっていく。みちこちゃんは、手にいっぱい桜の花びらをすくって、桜の木に返してあげようと、空にほおった。

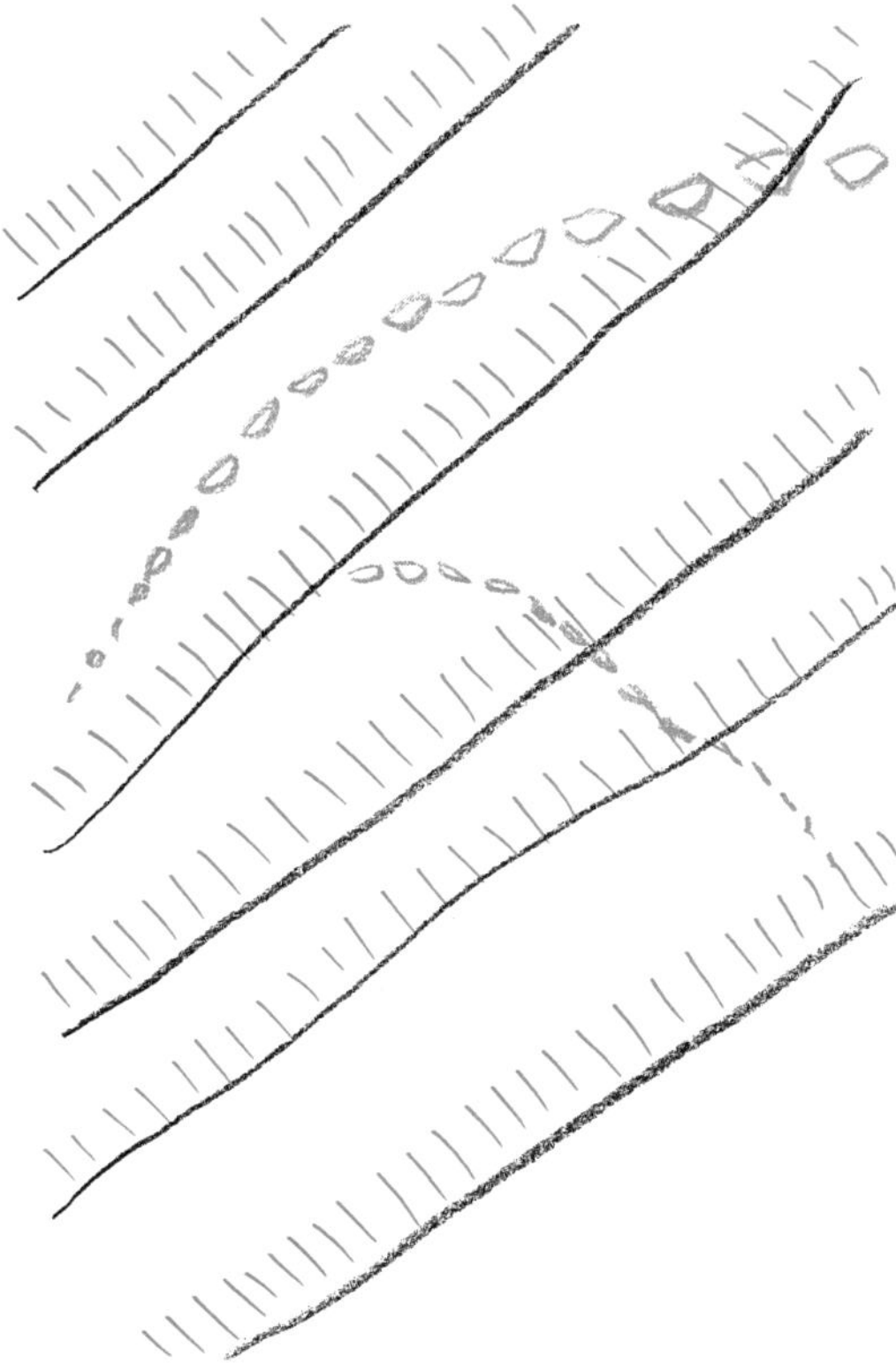

89

みちこちゃんと鍋焼きうどん

鍋焼きうどんたべたいな。みちこちゃんは、鍋焼きうどんの歌をうたうよ。ワン・ツー・スリー。「グーチョキパーでグーチョキパーで鍋焼きうどん鍋焼きうどん左手が炎で右手が鍋で髪の毛がうどん。おいしそう〜。おいしそう〜」

90

桜の木とみちこちゃん

「桜の木だよ。ごきげんよう〜」みちこちゃんは桜の花びらを拾って落とす。いろんなところに桜をつれていってあげる。鳥たちは、花びらをお米やパンくずとまちがえたんだ。あるとき、伸ばした手に、虹が落ちてきた。

あと10こだよ~。うわ~。

91

虹とみちこちゃん

手のひらに虹の感覚が残ってる。みちこちゃんは、いちばん悲しいひとに手をくっつけたい。虹はうれしいと思うから。

92

みちこちゃんとケルベロス

みちこちゃんとケルベロスがけんかする。あたらしいポケモンにみちこちゃんが夢中で、ケルベロスはさびしかった。ケルベロスは走った。みちこちゃんに追いかけてきてほしかった。

93
フルーツサンドの約束

ごめんね。ごめんね。いっぱいあそぼう。フルーツサンドたべようねって約束をする。叶うまでずーっと心がフルーツサンド。フルーツサンドのなかに季節がつもってたからものになる。次はどんな約束をしようかな。

94

花火と手紙

花火をすると、スヤァスヤァスヤァ。とってもリラックス。みちこちゃんが花火で字を書いた。なんて書いたの？　ないしょだよ。暗やみにだけわかった手紙。

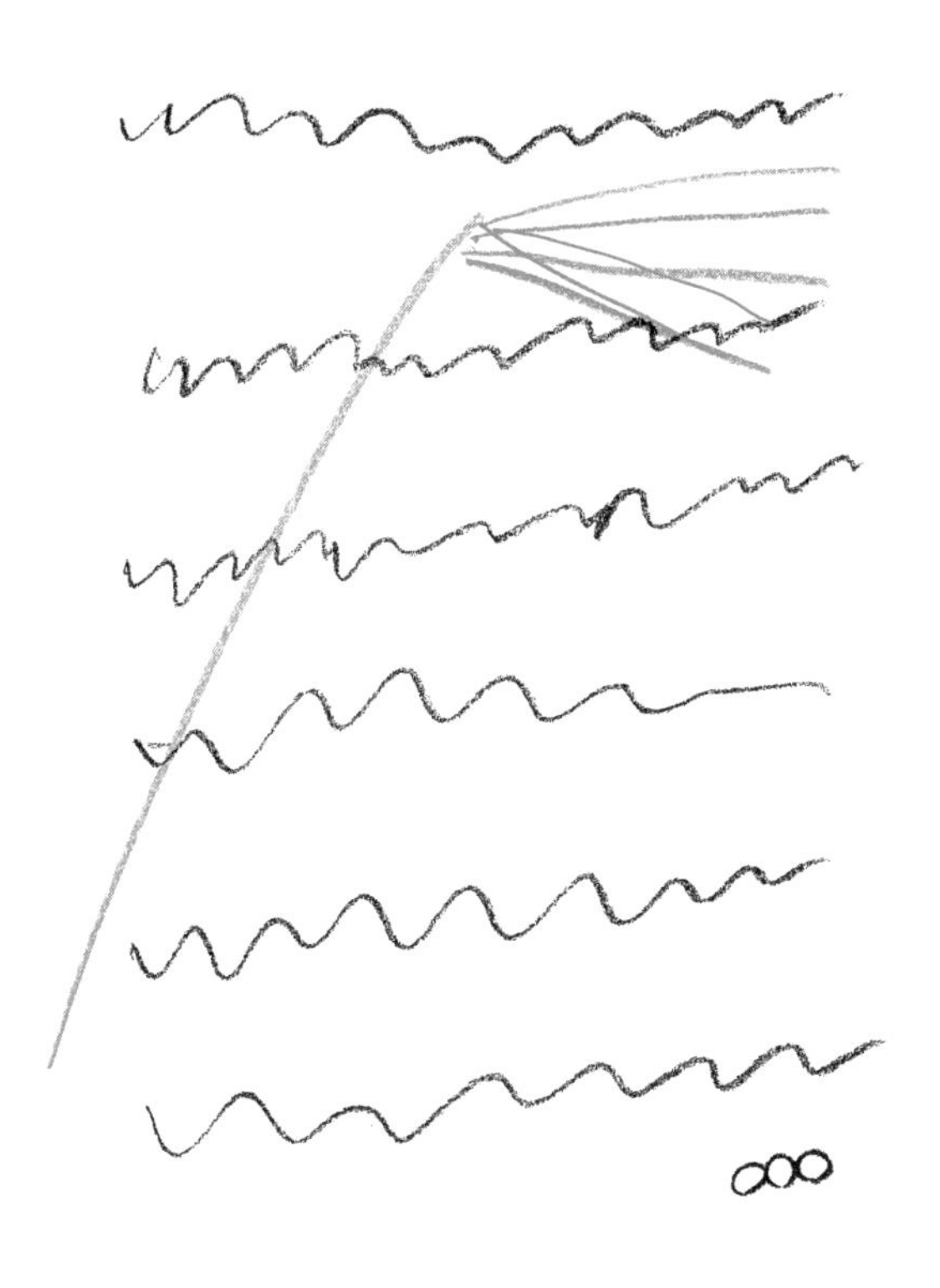

95

ケルベロスと帽子

思い出すこと。これから起こること。たくさんある。ぜんぶキラキラにしたい。願いを込めておどると足がなにかの暗号みたい。ついてこれたのはケルベロスだけ。一等賞です。帽子をプレゼントしちゃう〜。

96

みちこちゃんとまちあわせ

まちあわせ。たのしいな。ブルブルたのしいブルブルな〜。みちこちゃんは手に持ってる扇風機にいう。空気に耳をあてると「たのしいな」って聞こえてくる。パン屋さんからパンのにおい。流れ星が１番のりばに到着します。

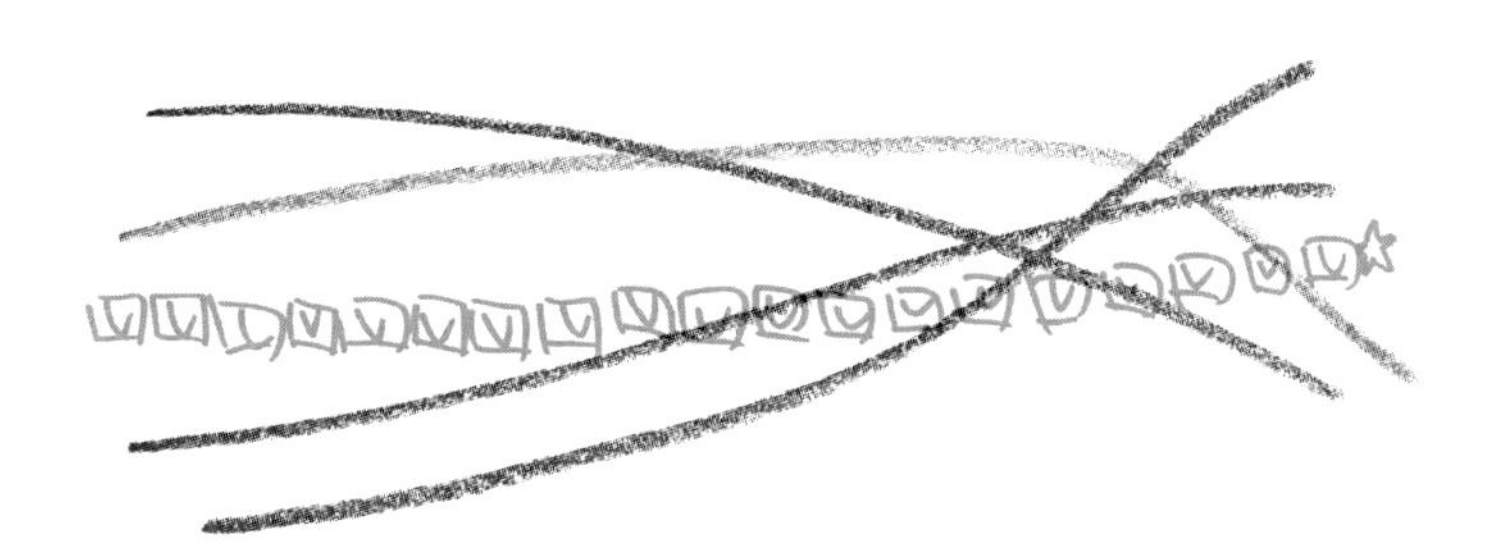

97 スイカと川

まぶしい空の下、スイカが川でひやされている。川には、空の色と、スイカの色が重なっている。スイカに空の色がうつってる。青い青い。今度は、赤い赤い。そのうち、真っ暗になった。真っ暗になったスイカを、みちこちゃんが持って帰って開くと、まぶしくて目が開けられない。

98

月とカラス

カラスが月に飛び込んでいく。何羽も何羽も。やがて雪が降ったとき、これはカラスなんだと思った。日が暮れると雪が黒くなり、夜に溶けていった。いつかまたカラスになる。バッサッサバッサッサ。みちこちゃんが忘れたころ、夏のかげろうのなかに、はばたく音が聞こえました。

99

みちこちゃんと輪っか

手を輪っかにしてのぞきこんだら自分の背中が見えた。手から、地球を一周するまでのぜんぶ。犬。犬。犬。はるなつあきふゆケルベロス。神さま。時間のしっぽ。たくさんの岩がからあげとまちがえられて、みちこちゃんは歯がかけちゃった。

100

みちこちゃんの星座

にこにこ。にこにこにこ。ケルベロスにににこにこ。ケルベロスがにこにこ。岩ににこにこ。歯医者さんがにこにこ。おスシがにこにこ。暗やみがにこにこ。川がにこにこ。にこにこを線で結ぶとね、星座ができたよ。キラキラゴージャスまぶしいものの名前を、みちこちゃんといいました。

ポム
ポム

みちこちゃんとケルベロスの暮らしはこれで１００
こ。読んでくれてありがとう。さようなら。さよう
ならぬり絵だよ。

また会いましょう
さようなら
ウチらの旅は おわらない

あとがき

散歩をしていると、たくさんのモノを見まちがえます。聞きまちがえます。夜だと、河原にいる人は黒いかたまりになって、木や岩と見分けがつかなくなります。おばけもそこにまざっているかもしれません。

この本がはじまったのは、岩の上だったと記憶しています。いっしょに仕事をしませんか、とお声がけくださったミシマ社の野﨑敬乃さんと、鴨川沿いでお菓子をたべながら打ち合わせしているときでした。「モノとモノのごっこあそびとかどうですか」と、確か私の方から提案したのでした。そのとき、岩を改造したベンチに私たちは座っていました。「たとえば、この岩とからあげをまちがえたり……」と言った記憶があります。それは記憶ちがいかもしれませんが、なにかをまちがえたときに、そこからの連想が止まらなくなって、この本に収録されている文章がいくつも出来ました。

「モノとモノのごっこあそび」として作りはじめたこの本は、だんだんと、みちこちゃんとケルベロスの暮らしの話になっていきました。散歩をして、モノを見て、聞いて、なにかを思い出して、まちがえて、それらはなにかに繋がっていくのですが、その繋がりと繋がりのあいだのズレのようなものは、ときにキラキラゴージャスで、ときに暗やみでした。それらを共に体験してくれたみちこちゃんとケルベロスが、楽しんでくれていたらいいなと思います。

文と絵は大前が担当しました。それぞれ一〇〇こずつ作ったあと、さびしくて泣きました。素敵な装丁は佐藤亜沙美さんのお仕事です。どうもありがとうございました。全体の指揮を取って編集してくださった野﨑さんは文と絵を見せるたびに最高の反応をしてくださり、とても励まされました。

つらい世の中で、この本を作ることには楽しさしかなかったです。お手に取ってくださったみなさんの肩の凝りや気分の落ち込みが、この本を開いているあいだほんの少しでも楽になっているといいな、と切に願います。ぬり絵以外にもいろいろなところに落書きしてくださいね。私は欲張りなので、この本が売れて、シリーズ化したり、Ｅテレから仕事がきたらいいなと思っています。作詞もしたいです。

最後に、この本をお手に取ってくださったあなたに、また会えたらうれしいです。

二〇二〇年一一月　大前粟生

大前粟生（おおまえ・あお）
1992年生まれ。小説家。京都市在住。著書に短編小説集『のけものどもの』（惑星と口笛ブックス）、『回転草』『私と鰐と妹の部屋』（以上、書肆侃侃房）、『ぬいぐるみとしゃべる人はやさしい』（河出書房新社）がある。

岩とからあげをまちがえる

2020年12月15日　初版第1刷発行

著　者　大前粟生
発行者　三島邦弘
発行所　ちいさいミシマ社
郵便番号　602-0861
京都市上京区新烏丸頭町164-3
電　話　075-746-3438
FAX　075-746-3439
e-mail　hatena@mishimasha.com
URL　http://www.mishimasha.com/
振　替　00160-1-372976

装　丁　佐藤亜沙美
印刷・製本　シナノ書籍印刷株式会社
組　版　有限会社エヴリ・シンク

©2020 Ao Omae　Printed in JAPAN
本書の無断複写・複製・転載を禁じます。

ISBN　978-4-909394-44-6